Erlebniswandern mit Kindern

Münchner Berge

30 Touren zwischen Füssen und dem Inntal

Eduard und Sigrid Soeffker

ROTHER WANDERBUCH

Vorwort

»Morgen gehen wir wandern!« Diese Ankündigung sorgt beim Nachwuchs nicht immer für Begeisterung. Die Aussicht auf einen langweiligen Schotterpistenhatscher lässt die Stimmung völlig zu Recht in den Keller rutschen.
Aber es geht auch anders: Wandern mit Kindern ist Leben und Abenteuer, ist Freiheit, Freude an der Bewegung, Action, Spannung und Ausgelassenheit, wenn die Touren kindgerecht und abwechslungsreich sind und etwas Besonderes zu bieten haben.
»Was gibt's da alles?«, rufen die Kinder neugierig. Wurzelwege, Bäche zum Spielen, Ziegen und ein großer Spielplatz auf der Alm, Wasserfälle, Sommerrodelbahnen, spannende Klammwege, Barfußlaufen über Wiesen, Gipfelbücher zum Hineinschreiben, Trampoline, Pfade zum Kraxeln und Kaiserschmarrn auf der Hütt'n, Kaninchen, Waldseilgärten, bunte Blumen, Pferde und ein leckeres Picknick, ausgehöhlte Baumstämme, Bergseen, Kühe und Eis in der Wirtschaft, einen echten Traktor zum Draufklettern, schneebedeckte Berge und von oben ganz kleine Dörfer, Burgruinen, Geheimwege, Hängebauchschweine, Bachtrekking, Kletterbäume, Gleitschirmflieger und einen Fußballplatz auf der Alm.
»Da wollen wir hin!«, juchzen die Kinder und freuen sich schon wie die Schneekönige auf die kleinen und großen Abenteuer.
Genauso wie die Eltern und Großeltern, denn die gemeinsamen Erlebnisse und Entdeckungen in der Natur verbinden Spaß und sportliche Betätigung und bringen ein ganz neues Zusammengehörigkeitsgefühl in die Familie.
Beim Ausprobieren der Touren wünschen wir Ihnen nun genauso viel Spaß, wie wir ihn selbst mit unseren Kindern beim Auskundschaften der spannenden Wanderungen hatten. Vergnügliche Stunden in den Bergen!

Eduard und Sigrid Soeffker

Frühjahrstour über saftige Wiesen zur Kreutalm (Tour 12). Oben warten auf die Kinder zwei große Trampoline und ein schöner Spielplatz.

Inhalt

Allgemeine Hinweise

Anforderungen

Die vorgestellten Touren verlaufen bis auf wenige Wegabschnitte einzelner Wanderungen durchgängig auf markierten Wegen und Steigen. Viele sind auch für kleinere Kinder ohne größere Schwierigkeiten zu meistern. Um die Auswahl einer Tour zu erleichtern, sind die Tournummern unterschiedlich farbig hinterlegt. Nähere Informationen zu den Anforderungen sind bei jeder Tour in der Kurzinfo aufgeführt. Zusätzlich erfolgt dort auch eine Empfehlung, ab welchem Alter die Wanderungen für die Kinder geeignet sind. Sowohl die farbige Dreiteilung der Tourenvorschläge als auch die Altersempfehlung sind aber nur als erster Anhaltspunkt zu verstehen. Letztendlich kennen die Eltern ihre Kinder am besten und wissen, was ihnen zuzutrauen ist. Die Farben der Tournummern bedeuten im Einzelnen:

▶ **Leicht**

Kurze Touren auf gut angelegten Wegen oder Pfaden mit geringem Höhenunterschied in einfachem Gelände. Diese Wanderungen, bei denen keine Bergerfahrung erforderlich ist, werden auch schon von 4- bis 6-jährigen Kindern bestens gemeistert. Gut profilierte Trekkingsandalen sind für diese Touren in der Regel ausreichend.

▶ **Mittel**

Längere Wanderungen auf meist gut ausgebauten Bergsteigen und -pfaden, die teilweise auch über Wurzelpfade verlaufen oder recht schmal und/oder felsig sein können. Die Touren führen zum Teil über steileres Gelände und es gilt meist mehr als 400 Höhenmeter zu überwinden. Teilweise sind bei diesen Wanderungen etwas Trittsicherheit und Bergerfahrung erforderlich. Für Touren mit größeren Höhenunterschieden wird Ausdauer verlangt. Bis auf wenige Ausnahmen (siehe Kurzinfo) sind bei diesen Wanderungen Bergschuhe anzuraten.

▶ **Schwierig**

Diese anspruchsvollen, meist langen Wanderungen mit größeren Höhenunterschieden bis zu 1000 Höhenmetern erfordern sicheres Gehen (und Kraxeln) in felsigem und schrofigem Gelände. Absolute Trittsicherheit und Schwindelfreiheit sind bei diesen Touren, die nur für Kinder und Erwachsene mit Bergerfahrung geeignet sind, unerlässlich. Zum Teil sind die Bergsteige ausgesetzt und mit Drahtseilen oder Ketten gesichert. Bergschuhe sind hier ein absolutes Muss!

Mit Bergschuhen im anspruchsvollen Gelände... (Tour 14)

... oder barfuß durchs seichte Wasser der Hofbauernweißbach (Tour 22).

Gehzeiten

Die Zeitangaben geben die Gehzeit ohne Pausen an und sind reichlich bemessen. Je nach persönlicher Konstitution und Ausdauer der Kinder kann die tatsächlich benötigte Zeit von dem angegebenen Richtwert abweichen.

Wir empfehlen, dem natürlichen Forscherdrang der Kinder nachzugegeben und immer mal wieder Spielpausen einzulegen. Diese sind, da sie individuell sehr unterschiedlich ausfallen, nicht bei den Gehzeiten berücksichtigt. Das intensive Auseinandersetzen mit der Natur erweitert nicht nur den Horizont der Kinder, sondern trägt auch in ganz erheblichem Maße zu einer gesunden Persönlichkeitsentwicklung bei – zwei Faktoren, die sich nicht in Zeit messen lassen.

Anfahrt

Bei allen Touren, bei denen die Ausgangspunkte mit öffentlichen Verkehrsmitteln problemlos erreichbar sind, wird darauf hingewiesen. Es werden allerdings nur Verbindungen aufgezeigt, bei denen man von München aus höchstens einmal umsteigen muss. Fahrplaninfos unter www.bahn.de und www.bayerische-oberlandbahn.de. Teilweise ist die Anfahrt mit dem eigenen Fahrzeug unerlässlich. Hinweise zur Anfahrt erfolgen in der Kurzinfo.

Bergbahnen

Bei einigen Touren bietet sich die Benutzung der Bergbahn an. Die jeweiligen Telefonnummern, Internetadressen und Betriebszeiten sind im Infoteil angegeben. Dennoch ist es ratsam, sich vor Antritt

Mmmmm! Milcheis macht müde Mädels munter (Tour 21)!

der Tour bei der Bergbahn über den aktuellen Fahrplan und die Preise zu informieren.

Einkehr

In der Kurzinfo werden alle an der Wanderroute gelegenen Gasthäuser, Hütten und Almen mit den üblichen Öffnungszeiten aufgeführt. Außerhalb der Saison sind diese – gerade bei Almwirtschaften – aber oft witterungsabhängig, daher empfiehlt es sich, vorher Erkundigungen einzuziehen.

Ausrüstung

Schuhwerk: Bei »blau« gekennzeichneten Touren werden meist keine Wanderschuhe benötigt, hier reichen in der Regel gut sitzende, stark profilierte Trekkingsandalen (Kombination aus Stollen und Lamellenprofil oder Ähnlichem) aus. Diese bieten den Vorteil, dass sie nicht nur leichter und luftiger als Bergschuhe sind, sondern auch schnell aus- und wieder angezogen werden können, sollte ein Bach den Wanderweg kreuzen oder man ein Stück barfuß zurücklegen wollen.
Für »rot« (hier wenige Ausnahmen) und »schwarz« gekennzeichnete Touren sind knöchelhohe Wanderstiefel unerlässlich.
Schuhe müssen passen. Sind sie zu groß oder zu weit, so scheuern sie und bieten zu wenig Halt; sind sie zu klein und drücken, vergällen sie den Spaß am Wandern. Wanderschuhe haben dann die richtige Größe und Passform, wenn die Zehen auf einer Schräge von 45 Grad, die den Abstieg simuliert, nicht vorne anstoßen und sich die Schuhe an den Seiten an den Fuß schmiegen, aber nicht drücken. Ebenso wenig sollte sich über dem Fußrist im geschnürten Zustand ein Luftloch bil-

den können. Wanderschuhe auf Größenzuwachs zu kaufen und als Zwischenbehelf mit zwei Paar Socken zu arbeiten, schont zwar den Geldbeutel, nicht aber den Träger: Die zwei Lagen Socken arbeiten in der Bewegung oft genug gegeneinander, es kommt zur Faltenbildung, zu Druckstellen und Blasen.

Rucksack: Der Rucksack der Erwachsenen ist geräumig, verfügt über gepolsterte Schultergurte, eventuell über einen Beckengurt, mit dem, ist er richtig eingestellt, die Schulterpartie stark entlastet wird. Im Idealfall besitzt er am Rücken einen Belüftungseinsatz.

Ein eigener, guter Kinderrucksack, der mit etwas bestückt ist, das die Kinder auf die Wanderung mitnehmen wollen, aber nicht allzu schwer ist, wie etwa Fotoapparat, Trinkflasche oder etwas Leckeres zum Essen, erfüllt die jungen Wanderer nicht nur mit Stolz. Der Rucksack bietet auch Platz für gesammelte »Schätze« wie Tannenzapfen, Steine, Samen und Blätter, die in einem Beutel oder einem kleinen Behältnis unbeschadet transportiert werden können. Allerdings gilt beim Beladen dasselbe wie beim Schulranzen: 10–12 Prozent des Körpergewichts bilden die Höchstgrenze für das Gewicht eines bepackten Rucksacks.

Andere Ausrüstungsgegenstände: Am besten sollte ein Erste-Hilfe-Kasten mit Pflaster, Pinzette, Hautdesinfektionsmittel und speziellen Blasenpflastern mit von der Partie sein. Pullover und Regenbekleidung gehören auch im Sommer stets mit in den Rucksack, da das Wetter im Gebirge schnell umschlagen kann und es in der Höhe um einige Grad kälter ist als im Tal. Da die Sonne in den Bergen intensiver scheint als im flachen Land, muss man im Sommer unbedingt an eine Kopfbedeckung denken, die Kinder schon vor der Tour eincremen (auch bei Bewölkung!) und dies je nach Sonneneinstrahlung zur Mittagszeit noch einmal wiederholen. Gerade die Oberbekleidung ist beim Aufstieg schnell durchgeschwitzt, sodass auf keinen Fall ein Ersatz-T-Shirt fehlen sollte. Führt die Tour am Wasser entlang, gehört eine komplette Wechselgarnitur bei kleineren Kindern geradezu zur Pflichtausstattung.

Kinder kühlen schneller ab als Erwachsene, da sie im Verhältnis zur Körpermasse eine wesentlich größere Hautoberfläche besitzen, über die sie Wärme abgeben können. Deshalb sollte man vorsichtshalber im Frühjahr und Herbst bei Touren, die höher hinaus gehen, auch Mütze und Handschuhe mitnehmen.

Für Touren, bei denen Trittsicherheit erforderlich ist, empfiehlt es sich, kleinere Kinder mit einer Reepschnur, eventuell in Verbindung mit einem Brustgeschirr, zu sichern. Oft genügt es aber auch, die Kinder an einigen wenigen, gefährlicheren Stellen an die Hand zu nehmen.

Eltern, die mit Kraxe unterwegs sind, ist anzuraten, wegen des erhöhten Gewichts, das beim Bergabgehen von hinten gehörig anschiebt, Trekkingstöcke zu benutzen.

Ob hier der Wurzelzwerg wohnt (Tour 19)?

Kinder

Was die jeweilige Tour für Kinder alles zu bieten hat, ist in dem Kasten »Highlights« dargestellt. Und das ist eine ganze Menge, denn bei der Auswahl der Wanderungen haben wir Wert darauf gelegt, dass für alle

Kinder etwas dabei ist. Das Angebot reicht vom Bachtrekking über gemütliche Wanderungen zu Almen mit Spielplätzen und Tieren bis hin zu drahtseilgesicherten Kraxeltouren, einem Hochseilgarten oder einem Barfußpark. Fünf Klammwege, sieben Sommerrodelbahnen und über ein Dutzend Trampoline warten darauf, von den Kindern gestürmt zu werden.

Und dann ist da noch das Murmeltier »Rothi«, das sich bei jeder Tour ganz speziell an die Kinder wendet, um ihnen Naturphänomene, technische Details oder Besonderheiten der Wanderung zu erklären.

Spaß auf dem Walderlebnispfad (Tour 6).

Gefahren in den Bergen

Die hier vorgestellten Wanderungen folgen angelegten bzw. ausgetretenen Wegen und Steigen. Im Gebirge ist jedoch stets Vorsicht geboten, dies gilt insbesondere für Touren, bei denen Trittsicherheit und/oder Schwindelfreiheit erforderlich sind, also an ausgesetzten und abrutschgefährdeten Stellen, sowie auf Wegen, die an einem steilen Abgrund entlang verlaufen. Um die Sturzgefahr zu vermindern, sollte man die Kinder dazu anhalten, zum Schauen stehen zu bleiben.

Wer mit Kindern schwierigere, in diesem Buch »schwarz« gekennzeichnete Touren unternehmen möchte, sollte selbst über ausreichend Bergerfahrung verfügen und ein sicherer Bergwanderer sein.

Im Frühjahr und Herbst kann in höheren Lagen noch oder schon Schnee liegen. Hier besteht erhebliche Rutschgefahr. Oft ist es dann die richtige Entscheidung, gerade mit Kindern, die Wanderung abzubrechen und zu einem anderen Zeitpunkt wiederzukommen. Dasselbe gilt auch bei Überanstrengung oder Überforderung – in solchen Fällen sollte man sich lieber mit einem Teilziel zufrieden geben.

Im Gebirge besteht häufig Steinschlaggefahr. Es ist besonders wichtig, die Kinder dazu anzuhalten, keine Steine loszutreten oder gar in die Tiefe zu werfen.

Bei schlechtem Wetter steigen die Gefahren am Berg. Von daher sollte man die Wettervorhersage bei der Wahl der Tour berücksichtigen und gegebenenfalls rechtzeitig umkehren. Gerät man trotz aller Vorsicht dennoch in ein Gewitter, ist darauf

Hört Ihr durch den Hörtrichter den Klammgeist grollen (Tour 11)?

zu achten, sich von exponierten Stellen wie Gipfel, Joch oder Grat sowie von Metallischem (z.B. Drahtseilen) fernzuhalten. Auf keinen Fall darf bei Gewitter ein Regenschirm mit Metallverstrebungen aufgespannt werden.
Im Sommer sind längere steile Aufstiege in der Mittagszeit zu vermeiden, da diese aufgrund der Anstrengung schnell zu Überhitzung bis hin zum Hitzschlag führen können. Schattige Plätze und ausgedehnte Pausen – im Idealfall am Bach oder See – haben bei hohen Temperaturen Priorität.

In Sichtweite bleiben

Beim Aufstieg gehen die Kinder generell vor den Eltern, damit diese die jungen Wanderer stets im Blick haben. Beim Abstieg, insbesondere bei Touren, die mit »Rot« oder »Schwarz« gekennzeichnet sind, müssen die Kinder aber hinter den Eltern bleiben, da hier immer wieder mit steileren Stellen zu rechnen ist, die die Kinder oft falsch einschätzen. Außerdem wird auf diese Weise verhindert, dass sie den Berg hinunterrennen, die Gefahr schwerer Stürze wäre hierbei – auch bei leichteren Touren – einfach zu groß.

Zecken, Schlangen, Wespen

Zecken sitzen vornehmlich auf Sträuchern, hohen Gräsern, Farnen oder im Unterholz bis zu einer Höhe von 1,50 m, also bis zur Höhe ihres potentiellen Wirtes, und werden beim Vorbeigehen abgestreift. Da sich die Plagegeister nicht direkt auf dem Boden aufhalten, besteht übrigens beim Barfußlaufen keine erhöhte Gefahr eines Zeckenbisses.
Zwar gibt es mittlerweile gut verträgliche Impfstoffe, diese bieten aber nur Schutz vor FSME, der Frühsommermeningitis (= Hirnhautentzündung). Gegen die weiter verbreitete Borreliose gibt es noch keine Vorbeugung. Deshalb sollte man unbedingt nach jedem Aufenthalt im Grünen den Körper (am besten

gegenseitig) auf Zecken absuchen (insbesondere Körperfalten, Achselhöhlen, Bauchnabel). Die Plagegeister wandern, bevor sie zu saugen beginnen, erst noch eine Zeit lang auf dem Körper umher und müssen zur Übertragung der Borreliose mehrere Stunden (bei der FSME kürzer) gesaugt haben. Tierversuche ergaben, dass die Übertragung der Krankheitserreger meist erst nach über 24 Stunden Saugtätigkeit erfolgte. Sicherheitshalber sollte man nach einem Zeckenbiss auf jeden Fall den Arzt aufsuchen, vor allem wenn sich um die Einstichstelle herum ein roter Ring bildet.

Die giftige Kreuzotter ist auch in unseren Gefilden heimisch, sie besiedelt Waldschneisen, Waldränder, Moore, alpine Geröllfelder, Bergwiesen und feuchte Niederungen. Die Schlangen sind von weißgrau über braun bis kupferrot (Kupferotter) oder schwarz (Höllenotter oder Bergviper) gefärbt und weisen allesamt ein mehr oder weniger deutliches Zickzackband auf. Normalerweise flieht die Schlange vor dem Menschen und beißt nur, wenn sie sich angegriffen fühlt. Für Kinder oder ältere Menschen kann ein Biss der Kreuzotter lebensgefährlich werden. Sollte man gebissen werden, Ruhe bewahren, um das Gift nicht durch hektische Bewegungen im Körper zu verteilen. Oft enthält ein Biss der Kreuzotter zwar nur wenig oder gar kein Gift, da sie dieses für die Jagd auf Beutetiere benötigt und mit dem Gift haushalten muss, man sollte sich aber auf jeden Fall nach einer Kreuzotterattacke ins Krankenhaus bringen lassen. Um erst gar nicht mit einer Kreuzotter in Berührung zu kommen, empfiehlt es sich, unübersichtliche Bereiche wie Gestrüpp zu meiden und vor dem Hinsetzen den Rastplatz in freier Natur gründlich zu inspizieren.

Wespen werden von süßen Getränken und Essen schnell angezogen. Besonders in den Almwirtschaften können sie im Spätsommer zu einer richtigen Plage werden. Besonders gefährlich ist es, eine in ein Trinkglas gefallene Wespe zu verschlucken, da nach einem Stich der Hals so weit anschwellen kann, dass man in Atemnot gerät. Kinder und Erwachsene sollten deshalb süße Getränke mit einem Strohhalm zu sich nehmen und bei jedem Bissen darauf achten, ob sich nicht eine Wespe auf der Gabel befindet. Ab und an fällt eine Wespe sogar ins Bier, hier ist also auch Vorsicht geboten.

Bienen und Wespen halten sich besonders gern auf blühendem Klee und Blumen auf – hierauf bitte insbesondere barfuß laufende Kinder hinweisen. Allergiker müssen immer ein wirksames Gegenmittel im Rucksack haben.

Pilze und Beeren

Es empfiehlt sich, vor allem kleineren Kindern jedes Mal aufs Neue einzuschärfen, keine Pilze und Beeren zu essen und keine Pflanzen in den Mund zu nehmen. Kindergarten- und Schulkinder lernen zwar oft einiges über Wildkräuter und wollen das in der Natur auch unter Beweis stellen. Was aber in der Theorie einfach und klar erscheint, ist in der Praxis meist nicht ganz eindeutig. Oft genug tun sich auch Erwachsene schwer, die ungiftigen von den giftigen Pflanzen zu unterscheiden, was z. B. bei der Verwechslung des genießbaren Bärlauchs mit den fast identisch aussehenden Blättern der Herbstzeitlosen immer wieder zu schweren Vergiftungen führt.

Abseits von langweiligen Forststraßen warten spannende Wege (Tour 17).

Alpines Notsignal

Benötigt man im Gebirge Hilfe, so sollte man das alpine Notsignal kennen. Es besteht aus einem sechsmal in der Minute (alle 10 Sekunden ein Signal) abgegebenen optischen oder akustischen Zeichen. Nach einem Intervall von einer Minute wird die Signalfolge so lange wiederholt, bis Antwort erfolgt. Diese (»ich habe verstanden«) besteht aus einem dreimal in der Minute (alle 20 Sekunden ein Signal) abgegebenen Zeichen.

Betretungsrecht

Nach Art. 141 Abs. 3 Satz 1 der Bayerischen Verfassung in Verbindung mit Art. 21 ff. des Bayerischen Naturschutzgesetzes ist der Genuss der Naturschönheiten, insbesondere das Betreten von Wald und Bergweide, grundsätzlich jedermann ohne Erlaubnis des Grundstücksberechtigten gestattet, wenn diese Flächen nicht eingezäunt oder mit Schildern versehen sind, die ausdrücklich auf einen Gesetzestext hinweisen. Natürlich muss man mit der Natur pfleglich umgehen und sich an die bestehenden Gesetze halten. Eingezäunte Bereiche müssen vom Eigentümer mit einem Durchgang für Wanderer versehen werden, wenn Erholungsflächen, Naturschönheiten, Wald oder Gewässer in anderer zumutbarer Weise nicht zu erreichen sind und der Eigentümer nicht übermäßig in seinen Rechten beeinträchtigt wird. Jeder kann sich also – mit wenigen Ausnahmen – mit gutem Gewissen in der freien Natur eigene Wege und Pfade suchen oder quer über die Bergweiden wandern. Dies ist allemal naturverträglicher, als tonnenweise Schotter auf die Berge zu transportieren, straßenähnliche Pisten anzulegen und alles Leben darunter zu begraben.

Wandern mit Kindern

Tourenauswahl
Kinder legen bei einer Wanderung oftmals durch spielerisches Hin- und Herlaufen die doppelte Wegstrecke wie ein Erwachsener zurück. Für den Anfang empfiehlt es sich daher, leichte und kurze Touren zu wählen, die Zeit großzügig zu bemessen und ausreichend lange Pausen einzukalkulieren. Als Faustregel für die Leistungsfähigkeit von Kindern gilt folgendes:

Kraxenalter: Ein- bis Dreijährige können bei warmen und trockenen Wetterverhältnissen zwei bis drei Stunden in einer guten Kraxe getragen werden, wenn sie immer mal wieder herausgenommen werden und selbst ein Stück laufen oder krabbeln dürfen. Besonders im Frühjahr und Herbst sowie in höheren Lagen ist darauf zu achten, dass es aufgrund des Stillsitzens in der Kraxe bei den Kindern schnell zu Unterkühlungen kommen kann. Daher sollten die Kleinen bei Temperaturen unter 22 Grad unbedingt eine lange Hose und eine Jacke tragen. Wichtig ist es zudem, auf eine Polsterung im Kopfbereich, eine gute Seitenstabilisierung und einen wirksamen Sonnenschutz zu achten; hochwertige Kraxen sind mit einem Sonnendach ausgestattet.

Kindergartenkinder: Vier bis fünf Jahre alte Kinder können ein bis drei Stunden in einfachem, ungefährlichem Gelände gehen, dabei werden bereits bis zu 400 Höhenmeter in Auf- und Abstieg bewältigt. Gerade Kinder dieser Altersgruppe sind sehr neugierig auf ihre Umwelt, die sie mit all ihren Sinnen erleben wollen. Da werden ganz alltägliche Dinge wie Steine oder Tannenzapfen zu Diamanten und ein vom Borkenkäfer zerfressenes Rindenstück zur Schatzkarte. Kinder in diesem Alter freuen sich besonders, wenn man an ihren Erlebnissen teilnimmt und sich Zeit für viele Spielpausen nimmt. Die kleinen Bergwanderer werden es mit leuchtenden Kinderaugen danken.

Grundschüler: Kinder von sechs bis neun Jahren schaffen, ansteigend mit dem Alter, Touren mit einer Gehzeit von drei bis vier Stunden und bis zu 750 Höhenmetern. In diesem Alter können bereits leichte Gipfelziele mit stellenweise steilerem Anstieg ausprobiert werden.

Kinder ab der 5. Klasse: Kinder von zehn bis dreizehn Jahren meistern Bergtouren mit einer Gehzeit von fünf bis sechs Stunden und bis zu 1000 Höhenmetern. Kurze Passagen mit Drahtseilsicherungen und kleine, leichte Klettersteige sind nun möglich, sofern die Kinder keine Angst haben und sich den Weg zutrauen.

Abenteuer hohler Baum (Tour 4).

Baumtelefon am Walderlebnispfad bei Farchant: überspringende Telekommunikation (Tour 6).

Ab welchem Alter sich die einzelnen Touren für die Kinder eignen, ist als Richtwert in der Tourenüberschrift und unter dem Stichpunkt »Anforderungen« verzeichnet. Die Angabe bezieht sich stets auf die komplette Hauptroute, Teilziele sind aber durchaus auch für jüngere Kinder zu begehen, während Varianten auch einmal nur für ältere Kinder empfehlenswert sein können. Hinweise hierzu und zur Kinderwagentauglichkeit der Wanderungen finden sich unter »Anforderungen« oder direkt bei den Varianten.
Schon bei kleineren Kindern sollte man kein Geheimnis aus dem Ziel machen: Die Erwachsenen kennen es, somit sollten es auch die Kinder kennen. Die Aussicht auf einen Spielplatz neben der Hütte oder Streicheltiere auf der Alm setzen bei Kindern ungeahnte Kräfte frei. Größeren Kindern kann man den Streckenverlauf und den aktuellen Standort auf der Karte zeigen. Der Wegverlauf wird so besser vorstellbar und die Kinder können selbst sehen, welche Strecke bereits zurückgelegt wurde. Den Kindern wird es sicherlich viel Spaß bereiten, wenn sie auch selbst einmal eine Tour auswählen und vielleicht sogar einen Freund oder eine Freundin auf die ausgesuchte Wanderung mitnehmen dürfen.

Motivation

Bei allen im Buch vorgestellten Wanderungen wurde darauf geachtet, dass eintönige Passagen auf breiten Schotterwegen möglichst kurz ausfallen. Dazu verlassen wir auch manchmal die gängigen Wege und steigen auf alten, nicht (mehr) ausgeschilderten Pfaden auf. Auf natürlichen Wald- und Wiesenwegen gibt es viel zu entdecken, abwechslungsreiche Wurzelwege, querliegende Bäume oder ein kleiner Bach, den es zu überqueren gilt, wecken die Abenteuerlust der Kinder und Erwachsenen.

Besonderes Vergnügen: Schifffahrt über den Achensee (Tour 17).

Drängen und Hetzen sind wahre Motivationskiller, manchmal kann es aber doch nötig sein, die Kinder zum Weitergehen zu motivieren. Das Setzen von Etappenzielen, wie z. B. »In einer halben Stunde kommen wir zu einem Kletterfelsen« oder »An der nächsten Bank machen wir eine kurze Pause«, kann hier sehr hilfreich sein. Auch in die Wanderung eingebaute Spiele, wie z. B. wer als Erster eine bestimmte Blume, eine Kuh oder einen Gleitschirmflieger sieht, erhält ein Gummibärchen, bringen Spaß, sodass unbewusst größere Strecken zurückgelegt werden. Pausen sind für Kinder besonders wichtig, um neue Kraft tanken zu können. Als Faustregel empfiehlt es sich, zumindest jede Stunde eine kurze Rast einzulegen. Spätestens am Ziel sollte aber genügend Zeit eingeplant werden, bevor der Rückweg in Angriff genommen wird.

Kleinere Kinder dürfen ruhig auch mal ein Stück getragen werden, um ein wenig schneller voranzukommen, was besonders wichtig ist, damit ältere Geschwisterkinder nicht den Spaß an der Wanderung verlieren. Hierbei sind aber klare Ansagen empfehlenswert: Abmachungen wie »Ich trage Dich bis zu dem Jägersteig da vorne, dann musst du aber wieder selber laufen« verstehen auch schon die Kleinen und lassen sie danach meist wieder fröhlich weiterwandern.

Das aus eigenen Kindertagen wohl bekannte »Engelein, Engelein flieg!« begeistert nicht nur kleine Wanderzwerge, sondern steht auch bei größeren Kindern noch hoch im Kurs. Seit Generationen macht es fitte Elternarme müde und müde Kinderbeine munter. Gerade auf breiteren Wegen kann man die Kinder auch an die Hand nehmen und gemeinsam mit ihnen ein Lied anstimmen.

Dabei kommen besonders die Kinderlieder gut an, bei denen man ein bisschen mitdenken muss, wie bei den »Drei Chinesen mit dem Kontrabass« oder »Auf der Mauer, auf der Lauer sitzt 'ne kleine Wanze«.
Wird nicht nur im Familienverbund, sondern im Kreis von Freunden gewandert, macht sich der sogenannte »Herdentrieb« bemerkbar: Über die dann an den Tag gelegte Ausdauer der Kinder kann man oft nur staunen, denn die Kinderschar scheint weder Müdigkeit noch Langeweile zu kennen. Auch die Aussicht auf eine Hüttenübernachtung sorgt für Euphorie und lässt so manche Steigung kleiner werden.

Hüttenübernachtung

Übernachten auf einer Hütte – dieses Abenteuer wollen sich weder kleine noch große Kinder entgehen lassen. Schon allein der Gedanke, die Nacht hoch oben auf dem Berg verbringen zu dürfen, fernab aller menschlichen Behausungen, die Sterne scheinbar zum Greifen nahe, beschleunigt ihre Schritte. Neben den obligatorischen Übernachtungssachen dürfen ein Buch und kleine (Karten-)Spiele nicht fehlen, denn auf der Hütte, wo auch die Eltern den Alltag unten im Tal gelassen haben, ist der gemeinsame Spieleabend ein schönes Erlebnis, an das jeder gern zurückdenkt. Je nach Hütte werden Matratzenlager, Zimmerlager, aber auch Familienzimmer mit Betten angeboten. Die Regeln hingegen sind überall gleich: Nachtruhe von 22 bis 6 Uhr, Rauchverbot, Hundeverbot, kein offenes Feuer, Betretungsverbot der Schlafräume mit Bergstiefeln. Da man mit Kindern unterwegs und somit nicht so flexibel und spontan ist wie ein einzelner Wanderer, der sich zur Not auch mit der Bank in der Wirtsstube zufrieden gibt, ist es ratsam und vom Hüttenwirt erbeten, vorher ein Zimmer oder Lager telefonisch oder per E-Mail zu reservieren. Alle Touren in diesem Buch sind zwar als Tagesausflüge beschrieben, aber eine Hüttenübernachtung lässt sich gerade bei den längeren Touren jederzeit problemlos integrieren. Auf welcher Hütte eine Übernachtung möglich ist, findet sich in der Kurzinfo.

Essen und Trinken

Kleine Schmankerl wie frisches Obst oder Gemüse (z. B. Apfelschnitze, Paprika, Gurkenscheiben) erfrischen und verleihen gerade beim Aufstieg wahre Energieschübe und sollten immer griffbereit in einer Seitentasche des Rucksacks zu finden sein. Dasselbe gilt für sparsam eingesetzte kleine Belohnungen wie Gummibärchen oder Kekse. Bei körperlicher Aktivität benötigen Kinder wesentlich mehr Flüssigkeit als Erwachsene. Für diesen erhöhten Bedarf ist Limonade als Durstlöscher für unterwegs ebenso ungeeignet wie Milch. Besser geeignet

Brotzeit am Sonnbergalm-Hochleger vor Roß- und Buchstein (Tour 23).

sind (wenn überhaupt, dann nur schwach gesüßter) Tee, Wasser oder verdünnte Fruchtsäfte. Die gewünschte Limo später auf der Alm hingegen haben sich die Kinder dann redlich erlaufen.
Es muss aber nicht immer die Brotzeit in der Almwirtschaft sein. Ein Picknick am Berg ist bei Kindern sehr beliebt und gehört zu den unvergessenen Erlebnissen. Die Utensilien hierzu werden auch bereitwillig von allen nach oben getragen: in Streifen geschnittene Paprika, dünne Gurkenscheiben, Zwiebelringe, Käse, Schinken, Salami, Kirschtomaten, Semmeln zum Belegen, kleine Fleischpflanzerl, Weintrauben, vielleicht zum krönenden Abschluss noch einen kleinen Kuchen und als wichtigste Zutat: Zeit. Zeit zum Essen, aber auch Zeit zum Erzählen, Zuhören, Toben und Spielen.

Barfußlaufen

Aus die Strümpfe – fertig – los! Immer mehr Menschen entdecken dieses herrliche Sinneserlebnis für sich. Gerade die Kinder profitieren vom Barfußlaufen, da es nicht nur die sensomotorischen Fähigkeiten verbessert, sondern auch Haltungsschäden und Fußfehlstellungen vorbeugt oder korrigiert. Barfußlaufen ist aber vor allem eines: Lebensfreude pur! Eine wahre Flut von Glückshormonen wird ausgeschüttet, wenn man »fußnackert« über eine sonnige Almwiese läuft, in das kalte Wasser eines Gebirgsbaches steigt oder weichen, federnden Waldboden hautnah erlebt. Warum dem so ist, ist schnell erklärt: In den Fußsohlen enden rund 70.000 Nervenbahnen, die durch den ständig wechselnden Untergrund bei jedem Schritt in ganz unterschiedlichen Kombinationen angeregt werden. Ein Feuerwerk der Sinne! Einer Fußreflexzonenmassage gleich bringt das Barfußwandern durch die ständige Stimulation der Fußsohlen den gesamten Organismus in Schwung. Als weiterer positiver Nebeneffekt werden auch zahlreiche Muskeln des Bewegungsapparates bis hin zur Rückenmuskulatur, die beim Gehen in Schuhen aufgrund mangelnder Beanspruchung verkümmern, gefordert und gestärkt. Blasen oder schwitzige Füße gibt es beim Wandern auf blanken Sohlen nicht. Lässt man sich auf dieses kleine Abenteuer ein, löst man sich auch von den Problemen des Alltags, denn Barfußlaufen erfordert volle Konzentration: Der Geist wird frei, das Wohlbefinden steigt. Die Kinder wissen das natürlich längst und viele nutzen jede Gelegenheit zum Barfußlaufen. Zum Einstieg eignen sich bestens die vielen angelegten Barfußparks, die es mittlerweile in Deutschland und Österreich gibt. Mit dem Barfuß-Panorama-Weg am Hohen Kranzberg in Mittenwald (Tour 10) stellen wir einen der schönsten Barfußwege in Bayern vor. Aber auch in der freien Natur gibt es viele Möglichkeiten, sich diesen Spaß zu gönnen. Bei allen Touren, bei denen sich das Schuheausziehen lohnt, wird im Text darauf verwiesen. Dann gilt es nur noch, sich zu trauen, etwas Neues auszuprobieren, und den Füßen auf weichen Wald- und Wiesenwegen ein wenig frische Luft zu gönnen. Da werden nicht nur die Kinder begeistert sein – versprochen!

Barfußspaß im Gerstenrieder Graben (Tour 16).

1 Tegelberg, 1720 m

Durch die Pöllatschlucht

ab 10 J.

Königsschlösser und »donnernder Bach«
Als Tegelberg (tegel = germanisch für großer Berg) bezeichnet man ein ganzes Bergmassiv, einen eigenen Tegelberggipfel wird man daher nicht finden. Der Bergrücken umfasst mehrere Erhebungen, Zacken und Zinnen, die eigene Namen tragen, unter ihnen mit dem Branderschrofen, 1881 m, der höchste Einzelgipfel, dessen Besteigung aber nur mit bergerprobten Kindern ab 12 Jahren anzuraten ist (siehe Variante). Aber auch ohne diese kleine Klettereinlage ist die Wanderung mit ihren sensationellen Tiefblicken auf das Märchenschloss Neuschwanstein und Schloss Hohenschwangau eine echte Traumtour. Die Marienbrücke, die sich in schwindelerregender Höhe über die Pöllatschlucht und den »donnernden Bach« spannt, wie das keltische Wort Pöllat übersetzt heißt, bleibt Groß und Klein noch lange im Gedächtnis. Vorher kommen wir an der Gipsmühle vorbei, einem stillgelegten Sägewerk mit einem 1998 abgebrannten Bauernhaus. Dieses wird derzeit nach Plänen von 1840 wieder neu aufgebaut und soll als Schaubrauerei mit Erlebnisgastronomie und technischem Museum voraussichtlich 2011 zu neuem Leben erweckt werden. Nach und nach soll auf dem Gelände, neben einem Kinderspielplatz und einem Streichelzoo, auch ein Mühlenpfad mit zwei historischen Mühlen entstehen.

Märchenhafter Blick auf die Nordseite von Schloss Neuschwanstein.

KURZINFO

Ausgangspunkt: Großer Parkplatz, 821 m, an der Tegelbergbahn (Parkgebühr 4 €, bei Berg- oder Talfahrt mit der Bergbahn oder bei Lösung einer Sechserkarte für die Sommerrodelbahn werden 2 € an der Hauptkasse der Talstation erstattet). Auf der B 17 Richtung Füssen kommend in Schwandorf nach links der Beschilderung zur Tegelbergbahn folgen (Navi: 87645 Schwangau / Tegelbergstr. 33).
Gehzeit: 3.50 Std. (bei Talfahrt mit der Bergbahn).
Höhenunterschied: 950 m.
Ausrüstung: Bergschuhe.
Anforderungen: Alter: ab 10 Jahren. Auf breitem, fast ebenem Weg bis zur Pöllatschlucht, dann auf gut ausgebautem Steig durch die Schlucht bis zur Marienbrücke. Dieser Wegabschnitt ist bereits für Kinder ab 6 Jahren geeignet, wenn die Kinder in der Schlucht und auf der Brücke an die Hand genommen werden. Danach auf kleinem, als »Gratweg« ausgeschildertem Bergpfad, für den Ausdauer und Kondition, Trittsicherheit und etwas Schwindelfreiheit vonnöten sind. An einer Stelle muss man die Hände zu Hilfe nehmen. Der Pfad darf nur im Sommer bei Schneefreiheit (in der Regel erst ab Anfang Juni) begangen werden, ist aber nicht ausgesetzt. Wir empfehlen dennoch, den Weg mit Kindern nur bergauf zu gehen. Die Wanderung ist bis auf die Variante 1 als eher leichte »schwarze« Tour einzustufen.
Bergbahn: Tegelbergbahn (Gondel), Sommerbetrieb von Anfang Mai bis Anfang Nov. 9–17 Uhr, Tel. 08362/98360, www.tegelbergbahn.de.
Einkehr: Tegelberghaus, 1707 m, ganzjährig geöffnet, 12 Betten, 20 Lager, Tel. 08362/8980, www.tegelberghaus.de. Panoramarestaurant an der Bergstation der Tegelbergbahn, 1730 m, Tel. 08362/930431. Imbiss mit Biergarten unterhalb der Sommerrodelbahn an der Talstation, Tel. 08362/930431. Bistro Ikarus an der Talstation, Tel. 08362/81791.
Variante 1: Besteigung des Branderschrofen, 1881 m, von der Bergstation der Tegelbergbahn aus; hin und zurück 1 Std., ab 12 Jahren, nur für bergerfahrene Kinder. Es handelt sich hierbei, gemeinsam mit dem Aufstieg zur Tegernseer Hütte (Tour 23), um die mit Abstand anspruchvollste Tour des Buches, die nur bei trockenem Boden durchgeführt werden darf und absolute Trittsicherheit und Schwindelfreiheit in ausgesetztem Gelände voraussetzt. Bitte bedenken Sie, dass man den drahtseil- und kettengesicherten Steig auch wieder hinunter muss, es gibt keine leichtere Umgehungsmöglichkeit!
Von der Bergstation links am Drachenfliegerstartplatz vorbei und auf breitem, ausgeschildertem Weg aufwärts zur Branderschrofen-Schulter, 1800 m, mit großer Sitzbank, von der man schon einmal einen kleinen Vorgeschmack auf die vom Branderschrofen zu erwartende Aussicht bekommt. Nun noch ein Stück auf dem breiten Weg, dann ab dem Schild »Alpine Gefahr« ausgesetzt, stellenweise über blanken Fels zum Gipfel mit einer fantastischen Sicht auf das Ammergebirge sowie die Lechtaler und Allgäuer Alpen. Rückweg zur Bergstation wie Hinweg.
Variante 2: Abstieg von der Bergstation über den »Schutzengelweg« (Kulturpfad mit Schautafeln zu Eiszeit, Geologie u. a.) zur Talstation. Wir wandern auf der Aufstiegsroute bis zum Ende des Treppenweges unterhalb der Bergstation und schlagen nun die rechte Verzweigung ein. Der stellenweise sehr steile Weg führt uns über die Almböden des Ilgemösle ausgeschildert (»Schwangau, Talstation«) hinunter zur bewirtschafteten Rohrkopfhütte, 1359 m. Danach teilweise durch Wald in einen Sattel, hier folgen wir dem Wegweiser nach links. Schließlich stoßen wir auf einen Fahrweg, folgen diesem nach rechts und erreichen nach einer Abstiegszeit von gut 2.30 Std. die Talstation.
Tipp: Rechts neben der Talstation befindet sich eine kleine römische Ausgrabungsstelle, der Eintritt ist frei.
Eine Besichtigung von Schloss Neuschwanstein ist nur im Rahmen einer kostenpflichtigen Führung möglich. Karten hierfür gibt es ausschließlich im Ticketcenter in der Alpseestraße 12 in Hohenschwangau.

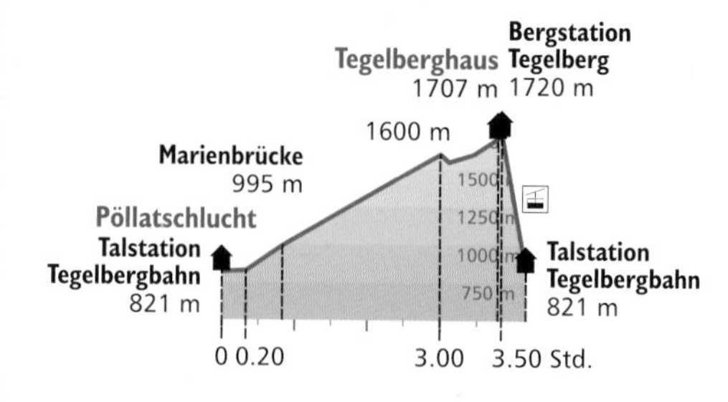

Wir beginnen unsere Wanderung am äußersten rechten **Parkplatzrand** und folgen dem Wegweiser zur Pöllatschlucht auf einem ebenen Kiesweg. Nach einem weiteren Schild erreichen wir eine Verzweigung und wandern auf dem unteren Weg weiter. Wir marschieren direkt am Lifthaus des »Reith Lifts« vorbei und haben hier bereits einen herrlichen Blick auf die Nordseite von Schloss Neuschwanstein, das auf einem bewaldeten Hügel thront. Bald stoßen wir auf einen anderen Kiesweg und gehen auf diesem nach rechts einige hundert Meter weiter, bis wir zu einem Schilderbaum gegenüber einer kleinen Hütte kommen, der uns zur Pöllatschlucht nach links weist. Nach 5 Min. überqueren wir auf einer Holzbrücke einen Bach, kommen an der **Gipsmühle** vorbei, folgen dem Schild »Neuschwanstein« nach rechts und stehen schon bald an der hölzernen Rinne am Eingang zur **Pöllatschlucht**. Wir steigen die Treppenstufen hinauf, laufen ein kurzes Stück über die in der Wand befestigten Stahlgitter und staunen über die tosenden Wassermassen, die durch die enge Schlucht über die Felsen hinabstürzen. Kurz darauf erreichen wir eine Kiesbank an einer seichten Stelle der Pöllat, hier kann man eine erste kleine Rast mit

HALLO KINDER,

wisst Ihr, wie das Wasser ganz ohne Pumpe nach oben in den Wasserturm kommt, um das Mühlrad für das Sägewerk der Gipsmühle anzutreiben?

Die Erbauer des Sägewerks haben sich das Prinzip der kommunizierenden Röhren zunutze gemacht. Das funktioniert so: Das Mühlrad steht weiter unten am Bach (und damit tiefer) als die Schleuse, die sich weiter oben am Bach befindet. Das Wasser wird über eine hölzerne Rinne vom Bach zu der Schleuse geleitet. Hier fließt das Wasser in eine senkrecht in den Boden führende Röhre. Diese ist über eine unterirdische Verbindungsleitung mit einer zweiten Röhre verbunden, die nach oben in den Wasserturm führt. Diese zwei Röhren »kommunizieren« nun so, dass das Wasser im Wasserturm genauso hoch stehen will wie das Wasser oben an der Schleuse. Weil der Wasserturm aber bereits darunter eine Öffnung hat, schießt dort das Wasser heraus und kann das Mühlrad antreiben.

Ihr könnt das Prinzip ganz leicht mithilfe eines durchsichtigen Schlauches ausprobieren: Haltet den Schlauch so, dass beide Enden nach oben zeigen (wie ein »U«), und lasst Euch an einem Ende Wasser hineinfüllen. Der Wasserstand auf der anderen Schlauchseite wird immer genauso hoch sein wie auf der Einfüllseite. Selbst wenn Ihr die zwei Enden vorsichtig in ihrer Höhe verändert, wird sich daran nichts verändern.

Fantastische Aussicht beim Aufstieg auf die Allgäuer Alpen und die vorgelagerten Seen (in der Bildmitte das Schloss Hohenschwangau).

den Kindern am Wasser einlegen. Danach geht es über viele Stufen durch schönen Mischwald und bald können wir von unten einen ersten Blick auf die in atemberaubender Höhe über der Pöllatschlucht befestigte Marienbrücke werfen. Wir steigen weiter steil auf Treppenstufen über 100 Höhenmeter hinauf und folgen schließlich dem Weg-

HIGHLIGHTS

★ voraussichtlich ab 2011: Erlebnisgastronomie an der Gipsmühle mit Spielplatz, Streichelzoo, Mühlenweg und Museum
★ die tosenden Wasser der Pöllatschlucht
★ atemberaubender Blick von der Marienbrücke tief hinunter in die Pöllatschlucht und auf das Märchenschloss Neuschwanstein
★ Start der Drachen- und Gleitschirmflieger an der Bergstation
★ 760 m lange Sommerrodelbahn an der Talstation mit großem Spielplatz (Sandkiste, Rutschen, Wippe, verschiedene Schaukeln (u.a. Affenschaukel), Drehkarussell, Doppelkinderseilbahn, eine Bungee-Trampolinanlage und ein Kneippbecken); Öffnungszeiten: 10–17 Uhr, www.tegelbergbahn.de

weiser nach links zur Marienbrücke über eine für den Verkehr gesperrte Asphaltstraße, auf der uns unzählige Menschen verschiedenster Nationen begegnen. Rechts gibt der Wald plötzlich einen herrlichen Blick auf Schloss Hohenschwangau mit den dahinterliegenden Bergen frei. Dann stehen wir mit etwas wackligen Beinen auf der **Marienbrücke** und sind überwältigt von dem fantastischen Blick auf Schloss Neuschwanstein, das mit seinen vielen Türmen und Nebentürmchen quasi aus dem Fels zu wachsen scheint.

Wir überqueren die Brücke, lassen die Scharen von Touristen hinter uns und wandern auf dem als **»Maximiliansweg E 4«** und als **»Gratweg«** bezeichneten schmalen Bergsteig durch lichten Mischwald in unzähligen Kehren bergan. Immer wieder kann man nun auf die Schlösser Hohenschwangau und Neuschwanstein und die dahinterliegenden blau schimmernden Seen hinunterblicken, ein wahrer Augenschmaus, der seinesgleichen sucht und kleine und große Hobby-Fotografen begeistern wird.

Knapp 2 Std. nachdem wir die Marienbrücke verlassen haben, treten wir nach einem schweißtreibenden Aufstieg zwischenzeitlich aus dem Wald und kommen auf einem schmalen Gratweg, kaum noch ansteigend, an eindrucksvollen Felskompositionen vorbei. An einer Stelle müssen wir nun die Hände zu Hilfe nehmen und eine etwa 3 m

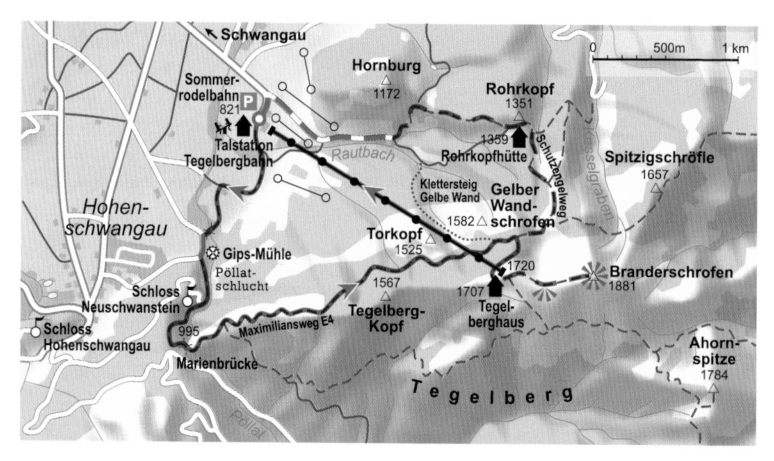

Verdiente Rast auf der Panoramaterrasse des Tegelberghauses.

hohe **Felsstufe** hinaufklettern. Es besteht aber keine erhöhte Gefahr, da das Gelände hier nicht unmittelbar abfällt.
Durch Fichtenwald führt uns der Weg anschließend ein Stück bergab, dann geht es auch schon entlang des Hanges unterhalb des Tegelbergrückens wieder bergan. Auf ein paar nebeneinanderliegenden Baumstämmen überqueren wir eine Mulde und wandern unter der Gondelbahn hindurch. Wir queren erneut einen Hang, kommen an der Einmündung des Klettersteigs »Gelbe Wand« vorbei und erreichen die Abzweigung zum »Schutzengelweg«. Dieser bringt uns später, wollen wir auf die Abfahrt mit der Bergbahn verzichten, wieder hinunter zur Talstation (siehe Variante 2).
Von der Verzweigung erreichen wir über einen Treppenweg in 20 Min. das **Tegelberghaus**, 1707 m, und die nur wenige Meter höher liegende **Tegelberg-Bergstation**, 1720 m, mit den zur Freude der Kinder ständig startenden Segel- und Gleitschirmfliegern. Die Aussicht auf das Ostallgäuer Alpenvorland mit seinen unzähligen Seen ist wunderschön. Wer noch weiter in die Ammergauer Alpen schauen möchte, dem sei der 15-minütige, leichte Weiterweg zur **Branderschrofen-Schulter**, 1800 m (siehe Variante 1) empfohlen. Das letzte Stück auf den Branderschrofen, 1881 m, mit seiner fantastischen Aussicht ist dann aber nur etwas für bergerfahrene, trittsichere und schwindelfreie Kinder ab 12 Jahren, die sich den ausgesetzten und mit Drahtseilen und Ketten gesicherten Steig auch im Abstieg noch zutrauen.
Von der Bergstation der Tegelbergbahn schweben wir anschließend mit der Gondel in wenigen Minuten zurück ins Tal und freuen uns auf eine Fahrt mit der **Sommerrodelbahn** oder die vielen Attraktionen des Spielplatzes an der Talstation.

2 Buchenberg, 1142 m

Von Buching über Bach- und Kulturenweg ab 6 J.

Zu den Gleitschirmfliegern überm Forggensee

»Über den Wolken muss die Freiheit wohl grenzenlos sein...« Unweigerlich kommt einem am Buchenberg beim Anblick der in der Luft schwebenden farbenprächtigen Paraglider das Lied von Reinhard May in den Sinn. Der Traum vom Fliegen ist so alt wie die Menschheit selbst. Aber erst vor 20 Jahren ist der Wunsch, sich ohne Antriebskraft geräuschlos in die Lüfte zu erheben, Wirklichkeit geworden. Aus dem Bergfliegen, bei dem man mit Flächenfallschirmen noch relativ schnell ins Tal hinabflog, und durch die technische Weiterentwicklung der Gleitschirme entstand eine völlig neue Luftsportart. Geübte Flieger können sich heute unter Ausnutzung der Thermik stundenlang in der Luft halten und sogar Strecken von über 100 km zurücklegen.

Startmanöver im Minutentakt.

Wer sich die Starts der bunten Flugschirme einmal aus nächster Nähe ansehen und dabei eine abwechslungsreiche Familienwanderung in Bayerns größtem Naturschutzgebiet, dem Ammergebirge, erleben möchte, ist am Buchenberg genau richtig. Und wenn auch manch einem die dünnen Schnürchen, die den Schirm mit dem Piloten verbinden, suspekt erscheinen mögen, packt doch vielleicht den einen oder anderen das Flugfieber und die Kinder können schon bald die Flugkünste von Mama oder Papa bestaunen. Gleitschirmschulen jedenfalls gibt es in Bayern jede Menge – Tendenz steigend.

HALLO KINDER,

wisst Ihr, warum Gleitschirmflieger nach ihrem Absprung am Berg immer weiter in die Höhe steigen können, anstatt von der Schwerkraft angezogen wieder auf die Erde zu sinken?

Warme Luft steigt nach oben, kalte Luft sinkt auf den Boden. Wenn nun die Sonne scheint, erwärmt sich die Luft direkt über der Erde schneller als die darüberliegenden Luftschichten. Die erwärmte Luftschicht wächst und steigt nach oben. Kühlere Luft fließt unten nach, wird wieder erwärmt, steigt auf und immer so weiter. Durch dieses Aufsteigen der erwärmten Luft entsteht ein Aufwind, die sogenannte Thermik, die sich die Gleitschirmflieger zunutze machen und sich von ihr in die Höhe tragen lassen.

KURZINFO

Ausgangspunkt: Buching, 800 m. Auf der B 17 Richtung Füssen, durch Buching (zur Gemeinde Halblech gehörend) hindurch und danach links zum Parkplatz des Buchenberg-Doppelsesselliftes an der B 17 (Navi: 87642 Buching / Füssenerstr. 19).
Gehzeit: 2 Std.
Höhenunterschied: 340 m.
Ausrüstung: Bergschuhe, Wechselkleidung.
Anforderungen: Alter: ab 6 Jahren. Die Wanderung verläuft überwiegend auf kleineren Waldpfaden. Beim Abstieg besteht im zeitigen Frühjahr und nach Regen auf dem natürlichen Waldboden Rutschgefahr. Bei Auf- oder Abfahrt mit der Buchenbergbahn ist die Tour auch für Kinder ab 4 Jahren geeignet.
Bergbahn: Buchenbergbahn (Doppelsesselbahn), Betriebszeiten Sommer: Anfang Mai bis Anfang Nov. (Ende der Herbstferien in Bayern), Tel.08362/98360, www.buchenbergbahn.de.
Einkehr: Griechisches Restaurant Poseidon an der Talstation, Dienstag Ruhetag, Tel. 08368/503. Buchenbergalm, 1140 m, an der Bergstation, täglich geöffnet, 9–18 Uhr, Übernachtung in zwei Mehrbettzimmern mit 12 oder 14 Betten, spezielle Gerichte für Kinder, Tel. 08368/940763, www.buchenberg-alm.de.
Variante: Wer lieber den als Abstiegsweg beschriebenen Kulturenweg hinaufsteigt, also die Tour in umgekehrter Richtung machen möchte, geht die ersten 100 m rechts des Sesselliftes gemeinsam mit den Wanderern, die über den Bachweg aufsteigen, hinauf und folgt dann rechts der Beschilderung »Kulturenweg«

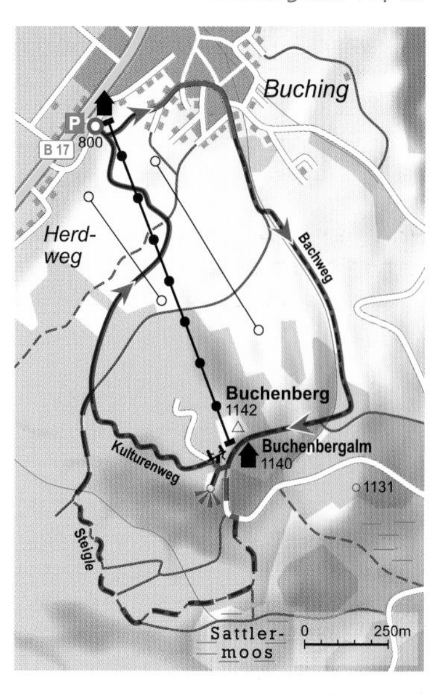

bzw. »Steigle« bis zu einer breiten, querenden Schotterstraße. Der etwas kürzere »Kulturenweg« führt direkt auf der anderen Straßenseite in den Wald. Alternativ kann man die Schotterstraße ca. 5 Min. nach rechts hinunterwandern, um dann links auf überwiegend schmalem und wenig begangenem Waldpfad über das »Steigle« das Gipfelkreuz zu erreichen. Dieser abwechslungsreiche, überwiegend über natürlichen Waldboden verlaufende Weg, der an zwei schön gelegenen Rastbänken vorbeiführt (u.a. »6-Seen-Blick« – diesen hat man allerdings auch vom Gipfel), ist nur im Aufstieg beschildert. Die letzten 5 Min. bis zum Gipfel verlaufen dann wieder auf einer Fahrstraße. Der nordseitige Abstieg über den »Bachweg« hingegen ist gut ausgeschildert.

Unsere Tour beginnt direkt rechts neben der **Talstation** der Doppelsesselbahn. Die Beschilderung weist auf verschiedene Aufstiegsmöglichkeiten hin, wir wählen die schönste Route über die schattige Nordseite und steigen auf dem **»Bachweg«**, zuerst noch gemeinsam mit den Wanderern, die eine der anderen Varianten gewählt haben, über die Wiese weglos neben dem Sessellift knappe 100 m hinauf. Am nächsten Wegweiser (unterhalb des Sesselliftes) folgen wir dem Hinweis »Buchenberg über Bachtal« nach links und gehen über die Wiese auf die Häuser zu. Wir kommen auf eine Asphaltstraße, wandern diese ein

HIGHLIGHTS

★ Spielmöglichkeiten am Bach
★ zweiter Teil des Anstiegs auf natürlichem Waldboden – barfußtauglich!
★ Start der Drachen- und Gleitschirmflieger an der Buchenbergalm
★ Bäume zum Kraxeln am Gipfel
★ Spielplatz unterhalb der Buchenbergalm mit Wippe, Schaukeln, Sandkiste und Kletterbaum sowie einem Ziegengehege
★ Auf- oder Abfahrt mit der Sesselbahn möglich

Stück hinauf und halten uns, nun der Beschilderung »Bachweg« folgend, an einer Abzweigung rechts und gleich wieder links. Der Weg geht bald in einen breiten Kiesweg über, den wir wenige hundert Meter hinaufsteigen, bis uns ein Schild nach links in den Wald weist. Zur Freude der Kinder geht es jetzt direkt neben dem über unzählige Stufen hinunterplätschernden Bach weiter. Was könnte es Schöneres geben, als im Sommer die Schuhe und Strümpfe auszuziehen und in das eiskalte Wasser zu steigen, Dämme zu errichten oder einfach die ein oder andere Wasserstufe hinaufzuklettern.

Etwa 100 m später wandelt sich der erst noch steinige Weg in einen herrlichen Waldweg. Die Erwachsenen haben jetzt Mühe, ihren Kindern hinterherzukommen, so abwechslungsreich schlängelt sich der nun barfußtaugliche Pfad über Stufen, Wurzeln und eine Holzbrücke hinauf. Ehe man sich versieht, tritt man auch schon wieder aus dem Wald. Das letzte Stück des Anstiegs verläuft entlang einer Viehweide mit schönem Blick auf die Ammergauer Alpen. Nach einer guten

Der Ast muss mit!

Stunde Gesamtgehzeit erreichen wir das Gipfelkreuz des **Buchenbergs**, 1142 m, mit seinen zum Picknick einladenden Holztischen und Bänken und dem direkt darunter liegenden Startplatz der Gleitschirmflieger. Die spannenden Startmanöver mit den bunten Fluggeräten immer im Auge, erfreuen wir uns an dem schönen Ausblick auf den Königswinkel und das weite Ostallgäuer Alpenvorland mit seinen vielen Seen: Direkt unter uns schimmert der Bannwaldsee, dahinter der große, mit dem Wasser des Lechs aufgestaute Forggensee.

Einkehren kann man ein paar Meter weiter in der 1999 neu errichteten **Buchenbergalm**, 1140 m, um die herum leider nicht mit Schotter gespart wurde. Wer echte Bergidylle genießen möchte, dem empfehlen wir, an der Buchenbergalm vorbei zum etwas unterhalb liegenden Spielplatz zu gehen und dort der Beschilderung zum 5 Min. entfernten **Aussichtspunkt** zu folgen. Hier erwarten uns vier im Wald aufgestellte und nachmittags in der Sonne liegende Holzbänke, von denen man durch eine Waldschneise herrlich auf Bannwald- und Forggensee sowie auf die Allgäuer Alpen blicken kann.

Für den Abstieg wandern wir wieder zum Spielplatz mit dem Ziegengehege zurück und gehen nach links auf dem Wirtschaftsweg ein paar Meter hinunter, bevor uns ein Schild links in einen kleinen Waldpfad (»**Kulturenweg**«) weist. In vielen Serpentinen steigen wir nun auf dem nach Regenfällen und nach der Schneeschmelze bisweilen feuchten und stellenweise matschigen Pfad durch den Wald ab, überqueren, dem Hinweisschild »Talstation, Buching« folgend, schräg eine Forst-

Kleine Baumbesetzer.

straße und tauchen auf der anderen Seite gleich wieder in den Wald ein. Der schmale Pfad mausert sich kurz darauf zum breiten Wiesenweg und schon bald erreichen wir einen Schilderbaum, an dem wir uns nach links zur **Talstation** wenden. Wer möchte, kann sich dort auf der Sonnenterrasse der Liftstation noch die griechischen Spezialitäten schmecken lassen und den ereignisreichen Tag gemütlich ausklingen lassen.

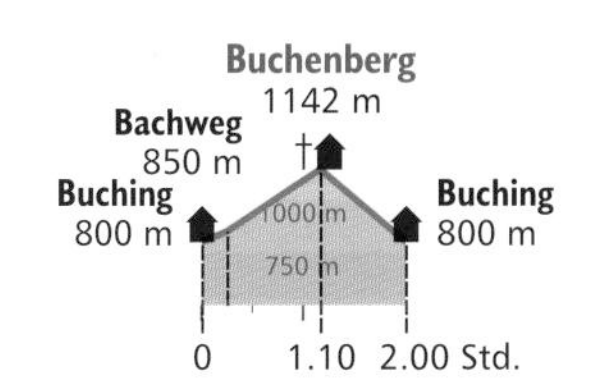

3 Steckenbergkreuz, 1228 m

Durch die Schleifmühlklamm — ab 8 J.

Auf den Spuren der Wetzsteinmacher

Bis in die 40er-Jahre des letzten Jahrhunderts hatte Unterammergau einen echten Exportschlager zu bieten. Die am Scharten-Köpfel bei Unterammergau abgebauten Gesteinsschichten aus quarzhaltigem, kieselsäurereichem Kalkgestein wurden in der Schleifmühlklamm mit Hilfe der Wasserkraft von den Wetzsteinmachern zu Wetzsteinen verarbeitet und auf Flößen oder mit der Eisenbahn nach Österreich, Ungarn und Schlesien verschickt. In guten Jahren stellten die Unterammergauer bis zu 200.000 der begehrten Wetzsteine her, die besonders zum Schleifen von Werkzeugen unentbehrlich waren. Im Gasthaus Schleifmühle ist ein Wetzsteinmuseum untergebracht, hier kann man eine originalgetreu nachgebaute funktionstüchtige Wetzsteinmühle, eine Werkstatt und die Behausung der Wetzsteinmacher kostenlos besichtigen. Die Betreiber der ganz in der Nähe liegenden Sommerrodelbahn fühlen sich der Wasserkraft auch heute noch verbunden und erzeugen den zum Betrieb der Anlage benötigten Strom umweltfreundlich mit einem kleinen Wasserkraftwerk in unmittelbarer Nähe.

KURZINFO

Talort: 82497 Unterammergau, 836 m.
Ausgangspunkt: Pürschling-Parkplatz, 880 m . Über Oberau und Oberammergau auf der B 23 kommend, weist noch vor dem Ortseingangsschild von Unterammergau das Schild zur Sommerrodelbahn nach links. Die nächste Straße wieder links, an der Sommerrodelbahn und dem Gasthaus Schleifmühle vorbei und ein Stück weiter am großen gebührenpflichtigen Wanderparkplatz (0,50 bis 2 €) parken (Navi: 82497 Unterammergau / Liftweg).
Mit der Bahn: Von München Hbf. (Halt auch in München-Pasing) mit dem Zug Richtung Garmisch nach Murnau. Dort in den bereitstehenden Zug Richtung Oberammergau umsteigen und in Unterammergau aussteigen. Vom Bahnhof zur B 23 und Richtung Oberammergau gehen. Nach 100 m zweigt rechts die Pürschlingstraße ab, die uns direkt zum Pürschling-Parkplatz führt (Gehzeit zusätzlich hin und zurück 1 Std.).
Gehzeit: 1.50 Std.
Höhenunterschied: 370 m.
Ausrüstung: Bergschuhe, Wechselkleidung.
Anforderungen: Alter: ab 8 Jahren. Der erste Teil der Wanderung durch die Schleifmühlklamm ist auch für Kinder ab 6 Jahren geeignet. In der Klamm schmaler Bergweg über viele Wurzeln, Treppenwege und einige kleine Brücken. An einer Stelle Drahtseilsicherung. Kleinere Kinder sollten hier, wie in der übrigen Klamm, an der Hand gehen. Zum Steckenbergkreuz kleiner, stellenweise steiler Bergpfad, die erste Hälfte verläuft auf dem teils steil abfallenden Gratrücken des Steckenbergs.
Einkehr: Gasthaus Schleifmühle am Ausgangspunkt, Montag Ruhetag (außer feiertags, dann Mittwoch Ruhetag), Tel. 08822/1323, www.schleifmuehle.net. Steckenbergalm an der Sommerrodelbahn, kein Ruhetag, Tel. 08822/4027, www.steckenberg.de.

Steckenbergkreuz 1228 m
Schleifmühlklamm
Pürschling-Parkplatz 880 m
Pürschling-Parkplatz 880 m
1000 m
750 m
0 0.30 1.10 1.50 Std.

Zu Beginn der Schleifmühlklamm: ein Platz wie im Paradies.

Vom **Parkplatz** gehen wir noch ein paar Meter die Asphaltstraße hinauf, wenden uns an der Verzweigung links und folgen der Beschilderung zur Schleifmühlklamm und zum Steckenbergkreuz. Kurze Zeit später zweigt rechts ein breiter Weg zur **Schleifmühlklamm** ab. An einer Schautafel können wir uns hier informieren, wie der Wetzstein nach Unterammergau kam. Nach etwa 5 Min. lädt uns ein kleiner **Barfußpfad** ein, verschiedene Materialien mit den Füßen zu spüren. Dann geht es auch schon über eine kleine Brücke und wir erreichen schnell den Beginn der Klamm. Wir tauchen ein in eine herrlich grüne, wildromantische Schlucht, die als eines der 77 bedeutendsten Geotope Deutschlands ausgezeichnet wurde. Wir überqueren zwei Brücken, können auf der rechten Seite den ersten Wassersturz bewundern und erreichen bald eine große Hinweistafel über die Ammergauer Wetzsteine. Der Weg führt links am Schild vorbei, doch sofort haben die Kinder entdeckt, dass man hier, ein Stück geradeaus weiter, direkt an den seichten Bach herankommt, und turnen bereits beherzt im flachen Wasser auf den Baumstämmen und den großen, im Wasser liegenden Steinen unterhalb des herrlichen **Wasserfalls** herum. Ein Platz wie im Paradies!

Nach diesem wunderschönen Abstecher geht es auf einem Wurzelweg steil durch üppigen Mischwald hinauf und sogleich wieder zum Bach hinunter. Immer wieder werden kleine Brücken überquert, der Bach sammelt sich in einer tiefen grünen Gumpe, um gleich wieder die Felsen hinunterzustürzen. An einer Stelle wird der Bergsteig etwas schmaler, hier kann man sich, weil es auf der linken Seite etwa 10 m steil hinuntergeht, rechts im Fels

Schleifmühlmuseum im Gasthof Schleifmühle.

auf ein paar Metern an einem Drahtseil festhalten. Kleinere Kinder sollten hier an die Hand genommen werden. Auf der gegenüberliegenden Seite bestaunen wir den **größten Wasserfall** der Klamm und sehen schon die kleine Brücke hoch droben, von der wir gleich einen Blick hinunter auf das herbstürzende Wasser werfen können. Nun ist es nicht mehr weit bis zum Ende des idyllischen Pfades und wir kommen auf eine breite **Forststraße**. Auf dieser erreicht man links hinunter in einer knappen Viertelstunde wieder den Parkplatz.

Mit Kindern ab 8 Jahren können wir aber noch in 40 Min. zum Steckenbergkreuz weiterwandern. Hierzu gehen wir die Forststraße etwa 20 m hinunter, dann weist uns ein Schild nach rechts in einen kleinen Waldpfad, 1005 m. Der Weg verläuft stellenweise recht steil auf dem Grat des Steckenbergs durch schöne, weitgehend unberührte Natur. Wir passieren einen Zaundurchlass und folgen dem mit grünen Pfeilen markierten Weg hinauf. Bei Abzweigungen nehmen wir stets die geradeaus nach oben führenden Pfade. An einem mit einem roten Punkt markierten Stein gehen wir etwa 2 m links vorbei, kommen aus dem Wald heraus, an einer Rastbank vorbei und stoßen, wieder im Wald, auf einen breiten Forstweg, in den wir rechts einbiegen. Nun wandern wir den Forstweg 20 m steil hinauf und biegen dann nach links in einen kleinen Waldpfad ein, der uns bald durch einen schönen Fichtenwald mit großen alten Bäumen führt. Wir kommen wieder ins Licht, der Pfad wird steinig und schlängelt sich durch lichten Jungwald bis zum mächtigen silbernen Kreuz des **Steckenbergs**, 1228 m. Der Gipfel ist waldfrei, und wenn man auch wegen des nahen Sonnen- und Brunnbergs im Süden nicht ins Hochgebirge schauen kann, so hat man doch einen schönen Ausblick ins Ammertal, auf

HIGHLIGHTS

- ★ Schleifmühlmuseum und Spielplatz am Gasthaus Schleifmühle
- ★ in der Schleifmühlklamm spannender Weg über Holzbrücken, an Wasserfällen und Gumpen vorbei; an einem Wasserfall tolle Spielmöglichkeit im seichten Bach
- ★ nach der Tour: 650 m lange Sommerrodelbahn am Steckenberg (ca. 500 m vom Parkplatz entfernt), Auffahrt mit dem Schlepplift (mit automatischem Ausklinken), zur Anlage gehören auch vier Bungee-Trampoline und ein Vier-Felder-Trampolin (beides gegen Gebühr), zwei Schaukeln, ein Kletterring und eine Kinderseilbahn, für die man schon etwas Mut braucht, sowie ein kleiner Streichelzoo mit Ziegen, Hasen, Wollschwein und Alpakas;
  Öffnungszeiten: 1. Mai bis 31. Okt., 8.30–17 Uhr, in den bayerischen Schulferien bis 18 Uhr; Tel. 08822/ 4027, www.steckenberg.de

HALLO KINDER,

im Herbst wurden früher in den Steinbrüchen oberhalb von Unterammergau 30 bis 50 cm dicke Wetzstein-Schichten abgebaut und mit Beginn des Winters mit Schlitten ins Tal transportiert. Dort warteten schon die »Steinheigel«, wie die Wetzsteinmacher genannt wurden, um die Steine im Frühjahr in den wasserbetriebenen Schleifmühlen auf großen runden Schleifsteinen in kleine, handliche Werkzeuge zu verwandeln.
Hier in der Schleifmühlklamm gab es früher 32 solcher Schleifmühlen und mehr als 40 Familien lebten vom Schleifen der begehrten Wetzsteine. Diese waren beim Mähen unverzichtbar, mussten doch Sensen und Sicheln regelmäßig nachgeschliffen werden. Hierzu trugen die Knechte und Mägde ein mit Wasser gefülltes »Steinfutter« am Gürtel bzw. am Schürzenband, in dem die Wetzsteine, die nur nass zum Schärfen verwendet werden konnten, aufbewahrt wurden.
Die heutigen Wetzsteine werden aus gepresstem Kunststein hergestellt und können auch trocken verwendet werden. Sie enthalten aber keine Kristalle mehr. Diese sorgten bei den »echten« Wetzsteinen für eine unglaublich hohe Schleifwirkung, die mit den künstlich hergestellten nicht erreicht werden kann.

Unterammergau und die Hörnlegruppe im Osten. In der Ferne kann man den Hohen Peißenberg, die Erdfunkantennen in Raisting und den dahinterliegenden Ammersee entdecken.
Auf dem Hinweg geht es nun zurück bis zum Ende der Schleifmühlklamm und auf der Forstraße schnell hinunter zum **Parkplatz**. Von hier empfiehlt es sich, auf der Teerstraße noch 100 m die Zufahrtsstraße zurück zum Gasthaus Schleifmühle mit Kinderspielplatz zu gehen. Im Gasthaus kann man urgemütlich einkehren und das Schleifmühlmuseum besuchen, das vom Gasthaus aus kostenlos zugänglich ist. An einer der drei Wetzsteinmacherhütten des Museums können die Kinder ein großes Wasserrad bestaunen, das einen großen Schleifstein im Inneren der Hütte antreibt. Ein Blick in die originalgetreu wieder aufgebauten Behausungen zeigt das einfache Leben der Wetzsteinmacher mit vielen alten Werkzeugen.
Zum Ausklang des schönen Nachmittags freuen sich die Kinder auf die Trampolinanlage, die Ziegen und die **Sommerrodelbahn** mit Einkehrmöglichkeit an der Steckenbergalm, die man erreicht, indem man die Zufahrtstraße noch ein Stück zurückgeht oder -fährt.

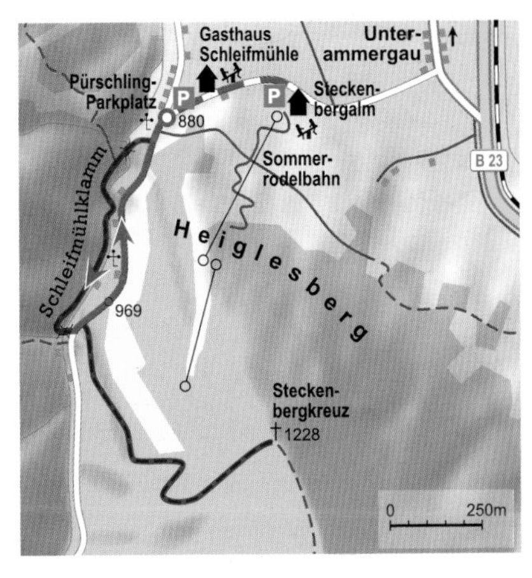

4 Vorderes und Mittleres Hörnle, 1496 m

Von Unterammergau über das Wildeck — ab 8 J.

Kletterbaum und Barfußerlebnis

Sanfte Wiesenkuppen ohne Felsen, natürliche Wege, weite Bergweiden und eine herrliche Sicht auf Wetterstein- und Ammergebirge sowie das Alpenvorland erwarten uns auf dieser schönen Familienwanderung, die auch in einem Mittelgebirge verlaufen könnte. Die runden Formen verdankt die Hörnlegruppe der Tatsache, dass sie aus Flysch besteht – Ablagerungsmaterial aus längst vergangenen Meeren wie Ton und Sandstein. Selten sieht man auf einer Wanderung so viele Kinder wie hier, viele Eltern wissen zu schätzen, dass der Weg zwar bisweilen steil, aber ungefährlich und abwechslungsreich ist. Eine echte Sensation wartet auf die kleinen Bergsteiger in der Mitte des Aufstiegs: Ein großer alter Bergahorn lädt zum Klettern ein. Um den Baum weitgehend zu schonen, sollten die Kinder aber nur barfuß hinaufsteigen. Wer will, kann dann gleich auf blanken Sohlen weitergehen, der Weg bis zum Gipfel verläuft größtenteils über weiche Almwiesen.

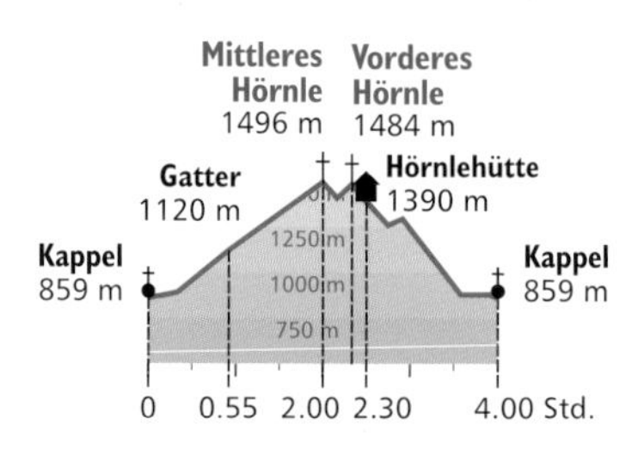

Uralte Bergahornbäume im leuchtenden Herbstkleid.

KURZINFO

Talort: 82497 Unterammergau, 836 m.
Ausgangspunkt: Parkplatz Kappel unterhalb der Kappelkirche, 859 m. Von Oberammergau auf der B 23 kommend durch Unterammergau hindurch und wenige hundert Meter nach dem Ortsschild, direkt an einem Sportplatz, rechts in den gebührenpflichtigen Parkplatz unterhalb der kleinen Kirche einbiegen (Navi: 82497 Unterammergau / Kappel).
Mit der Bahn: Von München Hbf. (Halt auch in München-Pasing) mit dem Zug Richtung Garmisch nach Murnau. Dort in den bereitstehenden Zug Richtung Oberammergau umsteigen und in Unterammergau aussteigen. Vom Bahnhof 10 Min. Fußweg zum Parkplatz: erst Richtung Bad Kohlgrub bis zu einer Kreuzung mit Brunnen, auf dem »Kappelweg« aus dem Ort hinaus, über eine kleine Teerstraße und der Beschilderung nach zur Kappelkirche.
Gehzeit: 4 Std.
Höhenunterschied: 750 m.
Ausrüstung: Gut profilierte Trekkingsandalen oder Bergschuhe.
Anforderungen: Alter: ab 8 Jahren. Die ungefährliche, sonnige Tour verläuft überwiegend über Wiesen- und Waldpfade, die nur unzureichend oder teilweise gar nicht markiert oder ausgeschildert sind (etwas Orientierungssinn erforderlich). Der stellenweise recht steil verlaufende Weg ist aber nicht zu verfehlen, wenn man ganz unten beim Aufstieg einmal den richtigen Weg eingeschlagen hat und sich beim Abstieg an der entscheidenden Stelle links hält. Bei Nässe besteht Rutschgefahr.
Einkehr: Hörnlehütte, 1390 m, kein Ruhetag (April und Nov. geschlossen), 24 Matratzenlager, Tel. 08845/229, www.hoernlebahn.de/hoernlehuette.html.
Variante: Ab 4 Jahren, Gehzeit ca. 1.30 Std. Von Bad Kohlgrub mit dem Sessellift zur Hörnlehütte, 1390 m. Von dort zuerst auf breitem Weg Richtung Hinteres Hörnle, dann diesen nach 200 m verlassen und links fast weglos über die Wiese hinauf zum Vorderen Hörnle. Auf der anderen Seite auf einem Wiesenweg wieder hinunter, den Kiesweg überqueren und direkt über eine steile Wiese hinauf zum Mittleren Hörnle. Am Gipfelkreuz vorbei, dann aber nicht nach rechts in den Wald (hier ginge es auf dem Anstiegsweg der Hauptroute hinunter nach Unterammergau), sondern weiter bis zum Ende des Gipfelrückens und nach links auf den kleinen Pfad, der steil zur Hörnlealm hinunterführt. Von hier weiter auf breitem Weg nach Osten Richtung Hinteres Hörnle und an dessen Bergfuß am Schilderbaum geradewegs (unbeschildert) über die Weide auf Trittspuren zum Gipfel des Hinteren Hörnle, 1548 m. Wer möchte, wandert noch 10 Min. weiter zum kreuzlosen Stierkopf, 1535 m. Rückweg zum Sessellift wie Hinweg oder unterhalb des Mittleren und des Vorderen Hörnles auf breitem, nicht zu verfehlendem Weg.

HIGHLIGHTS

- ★ barfußtauglicher Weg über Almwiesen im oberen Bereich der Tour
- ★ ein hohler Bergahorn zum Klettern
- ★ an der Hörnlehütte weite Wiesenflächen zum Toben, viele Kühe, manchmal auch Pferde
- ★ nach der Tour: Einkehr in der Steckenbergalm an der Sommerrodelbahn in Unterammergau (siehe Tour 3); vom Parkplatz Kappel Richtung Oberammergau und nach Unterammergau von der B 23 nach rechts der Beschilderung zur Sommerrodelbahn folgen (zu Fuß vom Parkplatz Kappel über den Bahnhof mit Kindern etwa 40 Min.)

Vom Parkplatz wandern wir an der **Kappelkirche** vorbei die Asphaltstraße hinauf. Nach etwa 5 Min. passieren wir ein großes Weidetor und müssen nun gut aufpassen, dass wir nicht gleich zu Beginn auf den falschen Weg geraten. Wir folgen nämlich nicht dem Wegweiser, der uns nach links über den neu angelegten »Maximiliansweg E 4« zur

Hörnlehütte und zum Hörnle weist (von hier kommen wir auf dem Rückweg), sondern gehen geradeaus auf dem breiten **Schotterweg** weiter. Der Weg verläuft nun leicht ansteigend über ein Weidegebiet. Wir ignorieren einen nach rechts abzweigenden Weg und halten uns an der nachfolgenden Weggabelung links auf dem breiteren Hauptweg. 250 m später wandern wir nicht nach links in den Wald, sondern gehen auf dem Hauptweg weiter bis zu einem Gatter. Anmerkung: Der nach links abzweigende Weg ist der ehemalige »Maximilianweg E 4« durch den Kappelgraben, der noch in vielen Karten verzeichnet, aber nicht mehr begehbar ist.
Nach dem Gatter spazieren wir erst noch ein kurzes Stück auf einem breiten Weg, dann verengt sich dieser zu einem schmalen Pfad, der uns über die Bergwiesen des **Wildecks** steil hinaufführt. Teilweise nur auf Trittspuren erreichen wir an einer kleinen Stufe einen Zaundurchlass und gehen hindurch. Hier ist Gelegenheit für eine erste Rast, zumal wir jetzt schon einen schönen Blick hinunter nach Unterammergau und auf das nördliche Ammergebirge mit den beiden markanten Gipfeln des Teufelstättkopfes und des Laubenecks (beide zusammen bilden ein »U«) werfen können. Tipp: Geht man die Stufe ein paar Meter nach rechts weiter, kann man hier im Mai Frühlingsenzian blühen sehen!
Unser Weg führt uns aber geradeaus weiter auf einem teils recht steilen Bergpfad hinauf, bevor er nach etwa einer Viertelstunde nach links den Hang quert und in den Wald zieht. Bald kommen wir wieder aus dem Wald, der Weg dreht nun nach rechts und wir laufen schnurstracks zwischen zwei alten, wunderschönen **Bergahornbäumen** hindurch, von denen sich insbesondere der innen hohle rechte Baum zum Klettern und Spielen eignet.

HALLO KINDER,

ein Bergahorn kann bis zu 400 Jahre alt werden und blüht zum ersten Mal erst mit 25 bis 40 Jahren! Der Ahornbaum hat ein ganz besonderes Holz, früher wurden ihm sogar Heil- und Abwehrkräfte zugeschrieben: Um Hexen abzuwehren, wurden Keile aus dem hellen Ahornholz in Türen und Schwellen getrieben. Maulwürfe sollten mithilfe junger Ahorntriebe von den Kartoffelfeldern ferngehalten werden und angeblich verschwinden sogar Kopfschmerzen, wenn man die Zweige eines Ahornbaumes berührt. Auch Ihr könnt Euch heute von einem kleinen Geheimnis eines Bergahorns verzaubern lassen: Der über einen Meter dicke Stamm ist innen hohl und wenn Ihr ehrfürchtig Euren Kopf vor dem hohen Alter neigt, könnt Ihr durch den Baum hindurchlaufen oder diesen sogar von innen emporkraxeln und es Euch an der ersten Astgabelung in drei Metern Höhe auf den breiten Armen des Bergahorns gemütlich machen. Damit Ihr dem Baum dabei nicht wehtut, zieht Ihr am besten die Schuhe aus und klettert barfuß hinauf, so habt Ihr auch einen viel besseren Halt als in den Bergstiefeln.

Der innen hohle Bergahorn lädt die Kinder zum Spielen und Klettern ein.

Markantes »U«: Teufelstättkopf und Laubeneck.

Wir überqueren einen Weg und wandern auf der leicht ansteigenden Wiese fast weglos geradeaus weiter auf den Waldrand zu. Nun folgen wir dem jetzt deutlichen Pfad nach links in den Wald, queren den Hang und kommen auf den vom Hörnle herabziehenden Rücken mit seinem herrlichen, leicht ansteigenden Wiesenweg. Wer hier bei warmen Temperaturen nicht die Schuhe auszieht und barfuß weiterläuft, ist selbst schuld – zu schön ist das Gefühl, den weichen Almboden mit den Füßen zu spüren. Die nächste Viertelstunde bis zum Gipfel des Mittleren Hörnle kann man ohne Weiteres baren Fußes zurücklegen. Ein perfekter, natürlicher Barfußpfad, von dem nicht nur die Kinder begeistert sein werden!

Nach knapp 10 Min. passieren wir einen Zaundurchlass, gehen noch etwa 100 m weiter, steigen nun auf einem hölzernen Überstieg nach links über den Zaun und gehen schräg den Wiesenhang hinauf. Bevor der Weg noch einmal kurz im Wald verschwindet, müssen wir uns unbedingt umdrehen und einen Blick auf die markante Zugspitze werfen. Dann geht es durch die Bäume hindurch und wir erreichen auf einem kleinen Pfad das große Gipfelkreuz des **Mittleren Hörnle**, 1496 m, und staunen über die plötzlich auftauchende schöne Aussicht auf das Alpenvorland mit Starnberger See, Staffel-, Rieg- und Ammersee. Auf dem Wiesengipfel lässt es sich wunderbar Brotzeit machen und bei guter Sicht sogar bis nach München schauen.

Nach der Rast gehen wir am Gipfelkreuz vorbei nach Norden und steigen den bei Nässe rutschigen Wiesenhang hinunter, überqueren den breiten Schotterweg und schauen, dass wir den Kindern hinterher zum direkt vor uns liegenden **Vorderen Hörnle**, 1484 m, kommen. Vom Gipfelkreuz sieht man nun schon im Norden die bewirtschaftete **Hörnlehütte**, 1390 m, die wir über die Weide in 10 Min. erreichen. Der kleine Hügel über der Hütte bietet bei einer imposanten Aussicht auf das Wettersteingebirge, die Ammergauer Alpen und die herrliche Seenlandschaft viel Platz zum Spielen und Picknickmachen.

Für den Abstieg gehen wir von der Hütte etwa 50 m den Kiesweg hinunter nach Nordwesten, dann weist uns ein Wegweiser nach links Richtung »Aible-Alm–Kappel« und Unterammergau (Weg 18 C). Schnell führt der Weg in den Wald, hier folgen wir den rot-weiß-roten Markierungen mehr oder weniger weglos ein ganzes Stück hinunter, überqueren einen Schotterweg und wandern auf der anderen Seite eine freie Wiesenfläche wieder ein Stück hinauf. Und nun heißt es aufgepasst, denn die Gemeinde hat hier an den Schildern gespart, obwohl es sich bei diesem Weg um den offiziellen »Maximiliansweg E 4« handelt. Nur allzu schnell hat man an dieser Stelle den falschen Weg eingeschlagen. Wenn der Bergrücken fast eben wird, marschieren wir noch ein Stück weiter und gehen links an zwei nebeneinander wachsenden jungen **Fichten**, die in der Wiese stehen, auf einem undeutlichen Wiesenweg vorbei. Verpassen wir diese Stelle, können wir auch noch ein Stück weiter geradeaus gehen und dann kurz vor dem höchsten Punkt der Anhöhe in einen ebenfalls sehr undeutlichen Wiesenweg nach links schwenken. Beide Pfade führen wieder zusammen und ziehen, bald wieder deutlich sichtbar und rot-weiß-rot markiert, nochmals in den Wald und münden dann auf einen Schotterweg, den wir geradeaus weitergehen. Der Weg wird wieder zum Pfad, wir passieren einen Zaundurchlass und kommen nach einem längeren Waldstück schließlich auf eine Bergwiese. Nun erst eben auf einem Wiesenweg, dann über einen kleinen Erdweg steiler die Weide hinunter, bis wir einen Schotterweg erreichen. Hier gleich wieder links auf einem Pfad über die Wiese, den Schotterweg abkürzend, und dann weiter auf diesem hinunter. Die letzten Schleifen des Weges sind geteert. Fast ganz unten schwenken wir nach links in einen breiten, über die Weiden führenden Schotterweg (Beschilderung: »Oberammergau«). Auf diesem wandern wir etwa einen Kilometer, biegen von dem nun geteerten Weg nach zwei Brücken nochmals links in einen kleinen Weg ab und erreichen wieder den Anstiegsweg ein Stück oberhalb der **Kappelkirche**. Von dort sind wir in 5 Min. wieder am Ausgangspunkt.

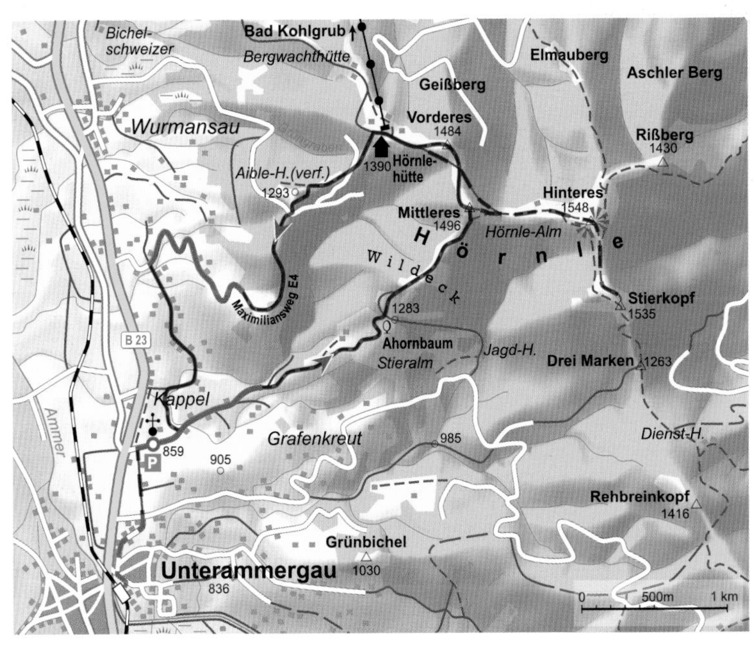

5 Ruine Werdenfels, 800 m

Von der Pflegerseestraße in Garmisch ab 4 J.

Spannende Burgruine.

Burgruine und Sonntagsbraten
Die weithin sichtbare Burg, von der lange Zeit die Gerichtsbarkeit ausgeübt wurde, ist im Jahr 1294 erstmals als »Werdenvelß« urkundlich erwähnt, als sie gegen eine Leibrente von jährlich 4800 Litern guten Bozener Weines und 20 Pfund Münchner Pfennige von Graf Berthold dem III. von Eschenlohe an das Hochstift Freising abgetreten wurde. Nicht nur der kurz darauf entstandenen Grafschaft Werdenfels gab sie ihren Namen, sondern mit der heute noch üblichen Bezeichnung als Werdenfelser Land sogar einem ganzen Landstrich. Namensgeberin war sie natürlich auch für das gleich neben der Ruine befindliche Gasthaus Werdenfelser Hütte, in dem sich die großen und kleinen Wanderer mit einfachen Gerichten wie Omelett, Kaiserschmarrn oder Pfannkuchen stärken können. Wer allerdings sonn- oder feiertags zur Mittagszeit einkehrt, dem servieren die Wirtsleut auch gern einen bayerischen Schweinebraten mit Knödel und Salat, der nur an diesen Tagen auf der Speisekarte steht.

HALLO KINDER,

wisst Ihr, warum die Burg Werdenfels heißt?
Es ist gar nicht so schwierig, aber man muss erst einmal darauf kommen: Der Name bedeutet »Wehr auf dem Fels«. Früher kontrollierte die Burg die Straße zum Fernpass und musste daher »wehrhaft« sein, damit niemand sie so leicht überfallen konnte. Auch auf der Burg Werdenfels selbst ging es nicht gerade friedlich zu: Zahlreiche Wilderer, Diebe und Mörder wurden hier im Mittelalter gehenkt. Während der Hexenprozesse im 16. Jahrhundert fanden 51 als angebliche Hexen verurteilte Frauen den Tod auf dem Scheiterhaufen.

KURZINFO

Talort: 82467 Garmisch-Partenkirchen, 708 m.
Ausgangspunkt: Kleiner Parkplatz an der Pflegerseestraße oberhalb Garmisch, 750 m. Von Oberau kommend über Farchant und Burgrain zum Ortsteil Garmisch. Am Ortsbeginn nach rechts in die kleine Thomas-Knorr-Straße und wieder rechts in die Pflegerseestraße einbiegen. Am ersten Parkplatz rechts der Straße vorbeifahren und nach weiteren 400 m in einer Linkskurve linkerhand an einem kleinen Schuppen parken (Navi: 82467 Garmisch-Partenkirchen / Pflegerseestr.).
Gehzeit: 1.10 Std.
Höhenunterschied: 110 m.
Ausrüstung: Trekkingsandalen, Wechselkleidung.
Anforderungen: Alter: ab 4 Jahren. Die Wanderung verläuft auf breiten Spazierwegen ohne große Steigungen und ohne Absturzgefahr. Sie ist auch für Kinderwagen geeignet. Die Burgruine sollten kleine Kinder nicht allein erkunden.
Einkehr: Werdenfelser Hütte, kein Ruhetag, ganzj. geöffnet, Tel. 08821/3333.
Variante: Aufstieg von Burgrain zur Ruine über einen abenteuerlichen, schmalen, stellenweise steilen Bergpfad (nicht kinderwagentauglich); ab 6 Jahren, Schwierigkeit »rot«, Gehzeit 1 Std. hin und zurück.

Von Farchant kommend in die erste Straße nach dem Ortseingangsschild von Burgrain rechts einbiegen (Hinweisschild: Jugendherberge; Feldernkopfstraße) und auf dieser erst geteerten, später geschotterten Straße etwa 1,5 km bis zum ausgeschilderten Wanderparkplatz mit großer Wandertafel; dort parken. Dem Schild zur Burgruine folgend auf einer kleinen Brücke über den breiten Bach, dann vorerst eben auf einem Fußweg nach Süden und an einem Spielplatz mit Fußballplatz (Torbereiche leider gekiest) vorbei. Wenn der Weg wenige Minuten später stark ansteigt, zweigt links in einer Rechtskurve ein kleiner, unmarkierter Bergpfad ab. Auf diesem durch den fast unberührten Wald, bis

HIGHLIGHTS

★ Spielmöglichkeit an seichtem Bach
★ Burgruine mit verschlungenen Pfaden, Fenstern und Durchgucken
★ Schafe an der Werdenfelser Hütte
★ nach der Tour: Besuch des nahe gelegenen Pflegersees mit kleinem Strandbad (Erwachsene 1,50 €, Kinder 0,80 €) und Bootsverleih (3 € pro halbe Stunde); hier auch weitere Einkehrmöglichkeit im Berggasthof Pflegersee mit Terrasse direkt über dem Wasser, Tel. 08821/2771, www.pflegersee.com

wir wieder auf den Schotterweg stoßen, den wir eben verlassen haben. Wir wenden uns aber gleich wieder nach links in einen weiteren kleinen Pfad, wandern durch schönen Mischwald mit vielen spannenden Geräuschen teils recht steil hinauf und stoßen auf einen breiteren Bergpfad, den wir nun links hinaufmarschieren. Auf einer idyllischen Holzbrücke aus drei Brettern überqueren wir einen kleinen Bach und erreichen über einen gestuften Weg nach einer guten halben Stunde Gesamtgehzeit die Burgruine an ihrer Schlupfpforte. Rechts geht es in wenigen Minuten zur Werdenfelser Hütte, geradeaus hinauf zum Aussichtspunkt der Burg. Hinweg wie Rückweg.

Schafe an der Werdenfelser Hütte.

Auf der dem **Parkplatz** gegenüberliegenden Straßenseite weist uns ein Schild zur Burgruine. Wir wandern auf einem etwa einen Meter breiten Weg erst eben, dann absteigend durch herrlichen Mischwald und marschieren an einer mächtigen Rotbuche vorbei, auf die uns eine Tafel aufmerksam macht. Nun geht es noch etwas steiler eine Kehre hinunter, dann schlängelt sich der Weg an zwei gemütlichen Rastbänken vorbei bis zu einem kunstvoll geschnitzten, großen Schilderbaum. Hier wandern wir links Richtung Burgruine. Kurz darauf stoßen wir auf eine breite Forststraße, ein Schild zeigt uns an, dass wir hier sowohl links als auch rechts zur Burgruine gelangen können. Wir entscheiden uns für rechts, auf diesem Weg kommt man wesentlich abwechslungsreicher ans Ziel. Gleich nach wenigen Metern zweigt links ein kleinerer Weg ab, auf dem wir schnell einen schattigen Rastplatz mit ebenerdigem Zugang zu einem kleinen **Bach** erreichen.

Danach geht es ein Stück steiler hinauf, wir kommen an der Tafel 7 des Burglehrpfades vorbei, wandern hier links bergauf und schlagen an einer Weggabelung den rechten, etwas steileren Weg ein. An der nächsten Wegeinmündung wenden wir uns rechts in den Waldweg und können so ein Stück abkürzen. Nun den Schotterweg weiter hinauf zur **Werdenfelser Hütte**, vor der ein kleiner Weg zur 3 Min. entfernt liegenden **Burgruine Werdenfels** führt. Wir sind beeindruckt von den meterhohen Mauern, spazieren durch einen bestens erhaltenen Torbogen und kommen links an der Schlupfpforte vorbei, durch die die Wanderer laufen, die den Pfad von Burgrain als Aufstiegsroute gewählt haben (siehe Variante). Hier wenden wir uns nach rechts und erreichen wiederum durch einen Torbogen eine herrliche **Aussichtsterrasse** mit zwei Sitzbänken und einem wunderschönen Blick auf Garmisch-Partenkirchen mit seinen Skisprungschanzen. Dahinter baut sich imposant das Wettersteingebirge mit der Partenkirchener Dreitorspitze auf. Eine Panoramakarte gibt über die genaue Lage der einzelnen Gipfel Auskunft.

Bevor wir nun auf dem Hinweg wieder zum Parkplatz zurückkehren, lohnt sich ein Besuch in der gemütlichen **Werdenfelser Hütte**, die wir am schnellsten nach Verlassen der Burg über einen seitlichen Zugang durch ein kleines Türl erreichen.

Werdenfelser Hütte 795 m · **Ruine Werdenfels** 800 m
Pflegerseestraße 750 m · 750 m · **Pflegerseestraße** 750 m
0 0.40 1.10 Std.

Kuhflucht-Wasserfälle, 790 m

Über den Farchanter Walderlebnispfad ab 4 J.

Eine kleine Waldmaus gibt Kindern Rätsel auf

Mit bloßem Auge erkennt man direkt vom Parkplatz hoch oben am Berg die Kuhfluchtquelle, wie sie als Wasserfall auf etwa 1100 Metern Höhe direkt aus der 200 m hohen Abschlusswand des Kuhfluchtgrabens schießt. So hoch hinauf wollen wir heute aber nicht, unser Ziel sind die wesentlich gemütlicher zu erreichenden, aber mindestens genauso beeindruckenden Unteren Kuhflucht-Wasserfälle. Die Meinungen über die Herkunft des Wortes »Kuhflucht« gehen auseinander. Die einen sagen, es leitet sich aus dem lateinischen »confluctum« ab und meint damit den Zusammenfluss des Kuhfluchtbachs mit der Loisach oder dem Bach, der vom Ochsenberg kommt. Andere vertreten die Ansicht, dass während des Dreißigjährigen Krieges im 17./18. Jahrhundert die Bauern ihre Kuhherden in die enge Schlucht trieben, um sie vor den plündernden Horden der Landsknechte zu schützen, sodass die Kuhflucht tatsächlich zu einer Zuflucht für Kühe wurde. Wie auch immer, bei dieser schönen, schon für kleine Kinder gut geeigneten Wanderung trifft man nicht nur auf Kühe, sondern auch auf die kleine Waldmaus, die die Kinder mit allerlei Fragen und Spielereien auf den Lebensraum Wald neugierig macht.

In der Waldschule darf jeder einmal Lehrer sein.

KURZINFO

Talort: 82490 Farchant, 690 m.
Ausgangspunkt: Parkplatz am Warmfreibad Werdenfels, 678 m, im Ortsteil Mühldörfl. Auf der A 95 und der B 2 Richtung Garmisch und noch vor dem Tunnel rechts nach Farchant. Im Ort nach links in die Bahnhofstraße, auf der Mühldörflstraße die Loisach überqueren und rechts über die Esterbergstraße zum Parkplatz (Navi: 82490 Farchant / Esterbergstr. 50).
Mit der Bahn: Von München Hbf. oder Pasing Richtung Garmisch bis zum im Dez. 2010 wiedereröffneten Bhf. Farchant, von dort links in die Bahnhofstraße, über den Bahnübergang und geradeaus weiter über die Loisach, die zweite Straße links (Kuhfluchtweg) zum in der Karte eingezeichneten oberen Parkplatz (10 Min. Fußweg).
Gehzeit: 1.30 Std.; für den Aufenthalt an den Stationen des Walderlebnispfades sollte man zusätzliche Zeit einplanen.
Höhenunterschied: 115 m.
Ausrüstung: Trekkingsandalen, Bergschuhe für den Weiterweg nach der Brücke an den unteren Wasserfällen, Wechselkleidung.
Anforderungen: Alter: ab 4 Jahren. Leichte Wanderung auf Kieswegen, meist eben, Königsweg teils steil ansteigend, am Schluss auf kleinem Pfad zum Aussichtspunkt rechts der Brücke. Über einen steil abfallenden Bergsteig sind mit älteren Kindern ab 6 Jahren zwei weitere Aussichtspunkte zu erreichen (Tourfarbe »rot«, Bergschuhe empfohlen). Der Waldlehrpfad ist bestens für Kinderwagen geeignet, der Königsweg bis zur Brücke wegen der Steilheit des Weges nur bedingt.
Einkehr: Unterwegs keine, aber entlang des Waldlehrpfades viele Bänke, überdachter Brotzeitplatz und sonnige Picknickplätze. Nach der Wanderung Einkehrmöglichkeiten in Farchant. Bei der Variante: Krissi's Sportlerstüberl mit Sonnenterrasse, kein Ruhetag, Tel. 08821/6553.
Variante: Eine größere Runde (zusätzlich 20 Min.) kann man machen, wenn man auf dem Rückweg nach dem Kneippbecken rechts über die Brücke geht. Direkt nach der Überquerung des Baches links und auf dem Kiesweg am Bach entlang bis zu einem Teerweg. Hier wieder links, bald über eine Brücke, durch ein Viehgatter und weiter bis zur Sportanlage (Spielplatz und Einkehr). Auf der Teerstraße weiter Richtung Häuser, am Ende der Straße (ca. 10 Min. nach dem Sportzentrum) links, nächste Straße wieder links (Kuhfluchtweg) und noch vor einem Parkplatz rechts in den Walderlebnispfad. Über diesen, wie in der Hauptroute beschrieben, zurück zum Parkplatz.

HIGHLIGHTS

- ★ aufwendig gestalteter Walderlebnispfad mit Sickerexperiment, Weitsprunganlage, kleinem Barfußfühlpfad und einer mit Bachwasser gespeisten Kneippanlage
- ★ Spielmöglichkeiten direkt am Bach
- ★ kleine und große, vor allem nach Regentagen und während der Schneeschmelze faszinierende Wasserfälle
- ★ Besuch im Warmfreibad Werdenfels mit 43 m langer Wasserrutsche, einer Freifall- und einer extra breiten Rutsche sowie einem Spielplatz
- ★ Spielplatz am Sportplatz Föhrenheide (siehe Variante), hier auch kleiner Hochseilgarten (nach vorheriger Terminvereinbarung unter Tel. 08821/63239, Infos unter www.hochseilgarten.com, www.farchant.de)

Eiskaltes Kneippvergnügen.

Kaum dem Auto entstiegen, entern die Kinder schon das neben dem Weg auf dem Trockenen liegende Floß samt Ruderblatt, Sitzbänken und Weinfässern, das den Beförderungsmitteln nachempfunden wurde, die von 1439 bis 1905 auf der Loisach unterwegs waren. Direkt an der großen **Informationstafel**, die uns einen Überblick über die einzelnen Stationen des Walderlebnispfades verschafft, treffen wir zum ersten Mal auf die Waldmaus, das Maskottchen des Pfades. Der Weg führt uns direkt in den Wald, vorbei an einer erstaunlichen Vielfalt von Baumarten, die allesamt mit Holzschildern bezeichnet sind. Das ist auch für Erwachsene sehr interessant – wer weiß schon, wie eine Bruchweide oder eine Schwarzerle aussieht? An einem Viehgatter verlassen wir diesen Baumgarten, überqueren eine sonnige Wiese mit den zur Weidezeit friedlich grasenden Kühen und folgen dem Schild »Waldlehrpfad«. Nun müssen wir das Rätsel über die Herkunft der allseits bekannten und beliebten Rosskastanie knacken und staunen nicht schlecht über die (verdeckte) Lösung! Wir stoßen auf einen kleinen Teerweg, halten uns rechts und steuern direkt über die Wiese den großen **Baumparapluie** an. Mit einem kleinen Krug schöpfen die Kinder hier Wasser aus der Tränke und machen sich voller Eifer daran, herauszufinden, aus welchem Kästchen beim Sickerexperiment wohl das Wasser zuerst herausrinnt. Links geht es nun auf einem Kiesweg weiter und wir gelangen zu einer großen **Ratetafel**, an der es gilt, die Holzarten der auf einer Stange beweglich angebrachten Scheite zu erkennen. Bald darauf sehen wir, wie die Natur die Sturmschäden von

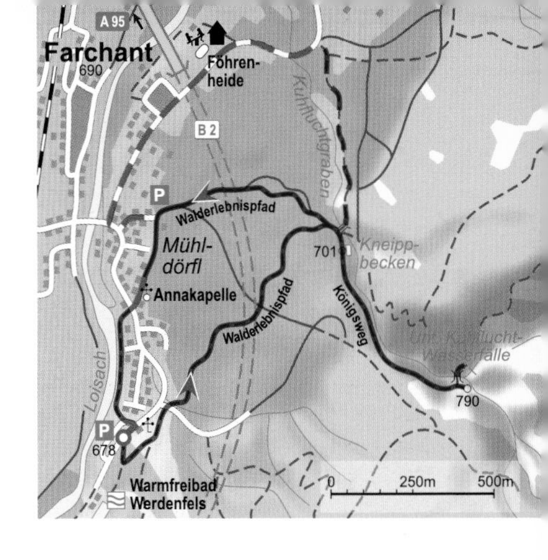

2002 versucht wieder wettzumachen. Weiter geht es den halbschattigen Weg entlang bis zum **Baumtelefon**, das sich nicht nur zum »Telefonieren«, sondern auch bestens zum Balancieren eignet. Die in der Sonne gelegene **Waldschule** lehrt uns einiges über die Wuchsformen und den Holzaufbau einheimischer Sträucher und Bäume. Nach den **Klanghölzern** und einigen weiteren Stationen erreichen wir schließlich nach einem Viehgatter eine Weggabelung, an der wir einen sogenannten **Flachwurzler** von unten sehen können. Hier biegen wir rechts ab und erreichen die **Kuhflucht**, die gleich mit drei Attraktionen aufwartet: Die Kinder messen sich im Weitsprung mit verschiedenen Tierarten, barfuß tasten wir uns auf dem Fühlpfad voran, um gleich darauf unsere Füße im eiskalten Gebirgswasser des Kneippbeckens zu erfrischen. Anschließend wandern wir den als **Königsweg** bezeichneten

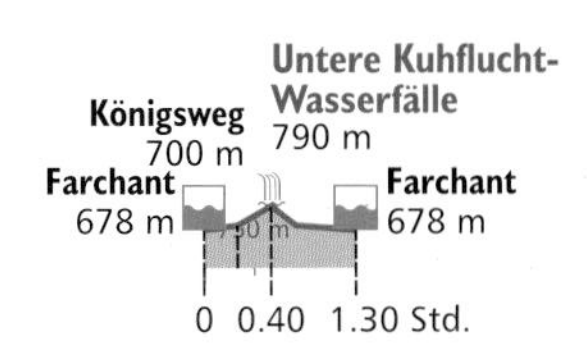

Weg steil hinauf und kommen an einigen kleineren Wasserfällen und an den Überresten einer Brücke, die vom Pfingsthochwasser 1999 in die Tiefe gerissen wurde, vorbei. Kurz vor der neuen Brücke, die sich über den Kuhfluchtbach spannt, müssen wir nun unbedingt nach rechts einen Abstecher über den kleinen Pfad hinauf zu einem Unterstand machen, denn nur von dort sind die imposanten **Unteren Kuhflucht-Wasserfälle** überhaupt zu sehen. Bitte hier kleinere Kinder an die Hand nehmen, da das Gelände steil in die Schlucht abfällt!

Mit älteren Kindern (Bergschuhe empfohlen) kann man die Brücke überqueren und den steinigen Bergpfad ein paar Minuten hinaufsteigen, bis man nach rechts abzweigend einen beeindruckenden **Aussichtspunkt** erreicht. Nach weiteren 5 Min. Aufstieg tut sich ein völlig neuer, faszinierender Blick auf einen höher gelegenen Wasserfall auf, den man ebenfalls nicht versäumen sollte (siehe Foto rechts).

Da sich der weitere Aufstiegsweg nun vom Graben wegdreht, machen wir kehrt und wandern erst einmal wieder bis zum **Flachwurzler** zurück. Wir gehen rechts an diesem vorbei und folgen dem Walderlebnispfad hinunter. Gut 10 Min. später erreichen wir ein Viehgatter, überqueren einen geschotterten Parkplatz und biegen – der kleinen Waldmaus folgend – links in den kleinen Pfad ein. Bald kommen wir an der **Annakapelle** vorbei, überqueren eine Straße und erreichen schließlich das **Loisachufer**. Nun wandern wir mit freier Sicht auf das imposante Wettersteingebirge mit Alp- und Zugspitze flussaufwärts. Nach einer letzen Frage der kleinen Waldmaus, die Mündung der Loisach betreffend, schwenkt der Weg an der alten Floßlandestelle nach links und wir sehen hinter den Bäumen bereits den **Parkplatz**.

HALLO KINDER,

manchmal liegt über dem Kuhfluchtgraben der Geruch von verfaulten Eiern. Aber wer denkt, jemand hätte eine Stinkbombe zertreten, der irrt! Denn die Kuhflucht produziert sich ihre Stinkbomben schon selbst!

Wenn nach schweren Regenfällen die Kuhfluchtfälle anschwellen, reißen sie jede Menge Schutt und Geröll mit sich. Die Gesteinsart, die hier vorkommt, nennt man Hauptdolomit, und der ist ziemlich brüchig. Der Hauptdolomit entstand vor über 200 Millionen Jahren, als hier noch keine Berge standen, sondern sich ein großes, blaues Meer breitmachte. Im seichten Uferbereich lagerten sich Ton und Kalk ab. Diese Ablagerungen versteinerten, allerdings sammelte sich zwischen den einzelnen Schichten noch jede Menge Faulschlamm an, der gleich mit versteinerte. Wenn nun die Hauptdolomitbrocken bei ihrer rasanten Talfahrt an andere Gesteinsbrocken stoßen und immer weiter zerkleinert werden, kommt dieser Faulschlamm wieder zutage und setzt seine stinkenden Dämpfe frei.

Diese Wasserfälle erreicht man in wenigen Minuten nach den Unteren Kuhflucht-Wasserfällen über die Brücke.

7 Kletterwald Garmisch-Partenkirchen

An der Wankbahn — ab 6 J.

Nervenkitzel und Spaß in luftiger Höhe

Manche Dinge ändern sich nie: Seit Menschengedenken kraxeln insbesondere die Kinder, beeindruckt von Größe und Statur, auf Bäumen herum und suchen den Nervenkitzel. Das mag der Grund dafür sein, warum sich Hochseilgärten und Kletterwälder immer größerer Beliebtheit erfreuen und mittlerweile wie Pilze aus dem Boden schießen. Es handelt sich hierbei um künstlich angelegte oder in naturnaher Form in die Bäume integrierte Hindernisparcours, bei denen man in unterschiedlichen Höhen seiner Abenteuerlust frönen, aber auch seine Grenzen austesten und sogar überwinden kann. Wer wollte nicht schon immer wie Tarzan an einer Liane von Baum zu Baum schwingen?

Hier in Oberbayerns größtem Kletterwald an der Talstation der Wankbahn warten acht Parcours mit aufsteigendem Schwierigkeitsgrad, mehr als 70 spannende Elemente, jede Menge Spaß und einzigartige Panoramablicke auf Zugspitze und Alpspitze auf die Besucher. Und eines ist jetzt schon klar: Mit der Gondel auf den Wank fahren kann jeder, aber beim Anblick einiger Plattformen in schwindelerregenden 17 Metern Höhe gerät manchem der Mut ganz schön ins Wanken.

Drahtseilakt im Lianendschungel.

KURZINFO

Ausgangspunkt: Parkplatz an der Talstation der Wankbahn, 740 m. Auf der A 95 und der B 2 bis Garmisch-Partenkirchen, am Ortseingang nach 700 m links Richtung Wankbahn und Kletterwald (Navi: 82467 Garmisch-Partenkirchen / Wankbahnstr.).

Mit Bahn und Bus: Von München Hbf. (Halt auch in München-Pasing) bis Garmisch-Partenkirchen und dort vom Bahnhof mit der Bus-Ortslinie 3 oder 5 (verkehrt mindestens stündlich) in 10 Min. zur Wankbahn.

Kletterwald: Öffnungszeiten: Anfang April bis Anfang Nov. 9.30–18 Uhr. Für Gruppen ab 10 Personen ist eine Anmeldung erforderlich, Tel. 170/6349688. In den »Kletterwald-News« unter www.kletterwald-gap.de wird bekannt gegeben, falls ein Tag ausgebucht sein sollte.
Preise: Für Familien ab 2 Kindern gelten besondere Konditionen (Ausweis nicht vergessen; sonst jeweils 2 € mehr pro Person): Erwachsene 19 € pro Person, Kinder bis zum vollendeten 14. Lebensjahr 15 €. Das dritte und weitere Kinder einer Familie sind frei. Dauer 3 Std., jede weitere Stunde kostet zusätzlich 5 € pro Person.

Benötigte Zeit: 3 bis 4 Std.

Ausrüstung: Bergschuhe. Die komplette Kletterausrüstung samt Helm und Karabiner wird vor Ort gestellt und ist im Preis inbegriffen.

Anforderungen: Alter: ab 6 Jahren und einer Körpergröße von 1,20 m. Leichte bis komplizierte Kletterparcours in 3 bis 17 m Höhe. Schwindelfreiheit erforderlich, Vorkenntnisse sind nicht vonnöten. Kinder bis 14 Jahre müssen in Begleitung eines Erwachsenen klettern, dabei darf ein Erwachsener bis zu vier Kinder begleiten.

Einkehr: Imbiss am Kletterwald. Berggasthof Panorama, wenige Gehminuten vom Kletterwald entfernt, Montag Ruhetag, Tel. 08821/9669070, www.berggasthof-panorama.de. Gastronomie in Garmisch zu Fuß in 20 Min. erreichbar.

Variante: Wer möchte, kann nach dem Kletterwald noch gemütlich mit den Gondeln der Wankbahn auf 1750 m Höhe hinaufschweben und bei einer grandiosen Aussicht die jeweils 1,5 km langen und ohne nennenswerte Steigungen rund um das Gipfelplateau des Wank, 1780 m, verlaufenden Rundwege »Ameisenberg« oder »Roßwank« erwandern.
Betriebszeiten der Wankbahn: Mai bis Anf. Nov., 8.45–17 Uhr (letzte Talfahrt), Dez. bis Feb. 9–16.30 Uhr, März 9–17 Uhr.

HIGHLIGHTS

★ Abenteuerliche Kletterparcours in 3 bis 17 m Höhe mit unterschiedlichen Schwierigkeitsgraden
★ aussichtsreiche Gondelfahrt auf den Wank (Variante)
★ nach dem Kletterwald: Besuch im nahe gelegenen Alpspitz-Wellenbad in Garmisch, Klammstraße 47, Tel. 08821/753313

Nach einer ca. halbstündigen Einführung von ausgebildeten Sicherheitstrainern geht es an den ersten Parcours. Das Kletterwaldteam ist aber immer zugegen und hilft, wenn man mal nicht weiter weiß oder kann. Im **»Magischen Zirkel«** machen Kinder ab 6 Jahren, aber auch Erwachsene auf 3 bis 4 m Höhe ihre ersten Kletterwaldschrit-

Die professionelle Kletterausrüstung wird vor Ort gestellt.

Gefangen im Netz der Riesenspinne.

te. Über »Knochen« und »Käsestückchen« hinweg geht es anschließend zum **»Goldgräberparcours«**, der ebenfalls ab 6 Jahren geeignet ist. Hier befinden sich hängende und rollende Elemente 3 bis 5 m über dem Boden. Wer es geschafft hat, mit dem schwebenden Fahrrad sicher auf die andere Seite zu gelangen, kann sich, ebenfalls in 3 bis 5 m Höhe, auf die Hängebrücke, ein Surfbrett und einen wahren Lianendschungel auf dem **»Leuchtenden Pfad«** (ab 6 Jahren) freuen. Dieser Pfad ist mit seinen 14 Stationen schon bedeutend schwieriger zu bewältigen als seine beiden Vorgänger mit 9 bzw. 10 Stationen.

Um das **»Geheimnis des Wank«** (ab 8 Jahren) zu ergründen, müssen wir uns auf 4 bis 8 m Höhe trauen und auch ein bisschen Mut einsetzen, um die 15 Aufgaben zu meistern. Der **»Affenhimmel«** (ab 14 Jahren) entführt einen in 12 m Höhe und beim **»Pepper blue«** (ab 14 Jahren) geht es dann richtig hoch hinaus – bis in die höchsten Wipfel auf 17 m Höhe! Wer sich hier herauftraut, erntet fantastische Aus-, Weit- und Tiefblicke, muss aber auch seinen ganzen Mut aufbringen, um 10 m in die Tiefe zur nächsten Plattform zu springen.

Neben dem erst 2009 eröffneten Parcours **»Alpenglühen«** (ab 14 Jahren) gibt es noch einen speziellen Slackline-Parcours für alle, die schon immer mal übers Seil tanzen wollten, und das in bis zu 8 m Höhe.

Wer mit der Gondel noch auf den Wank hinauffahren möchte (siehe Variante), sollte seine Uhr im Auge behalten, denn vor lauter »immer höher, immer weiter« kann es schnell passieren, dass man noch im »Riesenspinnennetz« hängt, während die Gondel ihre letzte Bergfahrt beginnt.

HALLO KINDER,

wusstet Ihr schon, dass es Hochseilgärten schon ganz lange gibt? Der erste Seilgarten wurde bereits 1875, also vor fast 140 Jahren, in Frankreich errichtet. In England trainierten Soldaten auf ihnen, um sich körperlich fit zu halten. Nachdem die Klettergärten in den USA zum Trend geworden waren, wurden sie auch bei uns immer beliebter. In den letzten Jahren setzten sich dann immer mehr die Waldklettergärten durch, in denen man die einzelnen Plattformen direkt an Bäumen befestigt. Die grünen Riesen werden dabei nicht verletzt, denn bei der Befestigung verwendet man ein eigens für Klettergärten entwickeltes, baumschonendes System, bei dem sich auch die gespannten Seile nicht durch Scheuern in den Baum hineingraben können!

Eckbauer, 1237 m

Rundweg über Wamberg und Vordergraseck — ab 8 J.

Zu den tosenden Wassern der Partnachklamm

Auf uraltem Bauernland führt uns diese Tour nicht nur ins höchstgelegene Dorf Deutschlands, sondern auch über eine zum Picknicken einladende, traumhafte Wiesenlandschaft zum gemütlichen Berggasthof Eckbauer mit seiner spektakulären Aussicht auf das Wettersteingebirge mit Alp- und Zugspitze. Mit den halb offenen kleinen Gondeln der Eckbauerbahn kann man die Tour erheblich abkürzen und so auch mit kleineren Kindern den Besuch der beeindruckenden Partnachklamm mit einer schönen Wanderung verbinden. Die über 700 m lange Klamm wurde bereits im Jahr 1912 touristisch erschlossen und zum Naturdenkmal erklärt. Am 12. Mai 2006 wurde sie als eines der 77 bedeutendsten deutschen Geotope ausgezeichnet. Nicht nur für Kinder ist die, bis auf eine kurze Zeit im Frühjahr, das ganze Jahr über geöffnete Klamm mit ihrem sprudelnden Wasser ein besonderes Erlebnis. Auch die Erwachsenen kommen ins Staunen, wenn man die fast 90 m hohen Wände aus alpinem Muschelkalk hinaufschaut, in die sich die Partnach über die Jahrtausende hineingefressen hat.

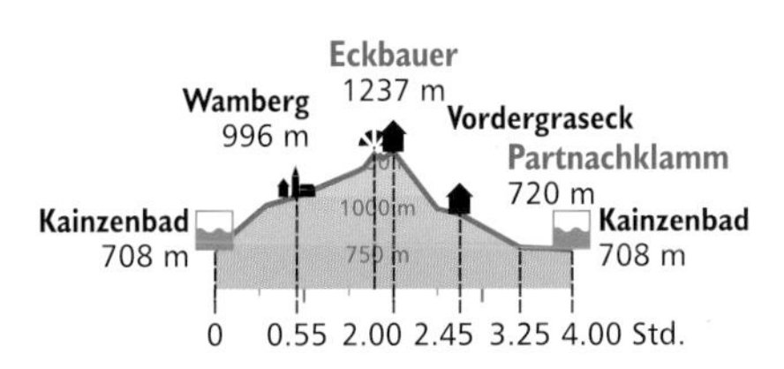

Kinderspaß am Picknickplatz vorm Karwendelgebirge.

KURZINFO

Ausgangspunkt: Kainzenbad, hinter dem Olympia-Skistadion, 708 m. In Garmisch Richtung Mittenwald fahren. Vor dem Ortsende rechts zum Skistadion abbiegen. An diesem vorbei und nach wenigen hundert Metern rechts am großen Parkplatz des Kainzenbades parken (Navi: 82467 Garmisch-Partenkirchen / Kainzenbadstr. 4).
Mit Bahn und Bus: Von München Hbf. (Halt auch in München-Pasing) bis Garmisch-Partenkirchen, dort mit den Buslinien 1 oder 2 (mind. 40-Min.-Takt) zum Skistadion und auf einem Fußweg neben der Straße in 5 Min. zum Ausgangspunkt.
Gehzeit: 4 Std.
Höhenunterschied: 560 m.
Ausrüstung: Bergschuhe.
Anforderungen: Alter: ab 8 Jahren. Die sich aufgrund der geringen Höhe und der damit verbundenen Schneefreiheit besonders für das zeitige Frühjahr und den Spätherbst eignende Tour verläuft über gut ausgebaute Wander-, Berg- und Fahrwege. Bei Benutzung der Eckbauer- oder Graseckbahn (siehe Varianten) auch für Kinder ab 6 Jahren geeignet.
Bergbahn: Eckbauerbahn (Kleingondelbahn), Betrieb 9–17 Uhr täglich, Revison nach den Herbstferien bis Mitte Dez. und zwei Wochen vor oder nach Ostern, Tel. 08821/3469, www.eckbauerbahn.de. Graseckbahn (älteste Kleinkabinenbahn der Welt), Betrieb Sonntag bis Donnerstag 7–22 Uhr, Freitag und Samstag 7–24 Uhr, Revison 2 Wochen nach den Herbstferien, Tel. 08821/3469, www.graseckbahn.de.
Einkehr: Gasthof Wamberg, 1016 m, Montag Ruhetag, Tel. 08821/2293. Berggasthof Eckbauer, 1237 m, geöffnet von Anfang Mai bis Ende Okt. sowie Weihnachten bis Ostern, im Sommer Mittwoch Ruhetag (Kiosk mit Imbiss geöffnet), Übernachtung ab 10 Personen im DZ nach Voranmeldung, Tel. 08821/2214, www.eckbauer.de. Almwirtschaft Hanneslabauer, 900 m, ganzjährig geöffnet außer Mitte Nov. bis Weihnachten, 10 Betten, Tel. 08821/53131. Hotel Forsthaus Graseck, 860 m, ganzjährig geöffnet außer zwei Wochen im Nov., 90 Betten, Tel. 08821/53131, www.forsthaus-graseck.de. Wettersteinalm, 850 m, wetterbedingte Öffnungszeiten, Samstag (!) Ruhetag, Tel. 08821/56080.
Varianten: Wer mit kleineren Kindern unterwegs ist und sich den Aufstieg zu Fuß sparen möchte, kann vom Skistadion mit den offenen Gondeln der Eckbauerbahn (www.eckbauerbahn.de) hinauffahren. Von der Bergstation erreicht man nach rechts wandernd in 5 Min. den Gasthof Eckbauer. Geht man von der Gondel nach links hinunter und schwenkt nach 5 Min. links in den kleinen Pfad bergauf, kommt man zu dem am Anstiegsweg liegenden Picknickplatz.
Man kann auch vom Skistadion in umgekehrter Richtung zum unteren Klammeingang gehen, von dort mit der Graseckbahn nach Vordergraseck hinauffahren und dann wie beschrieben durch die Partnachklamm zurückwandern.
Hinweis: Die Partnachklamm ist bis auf die Zeit der Schneeschmelze (meist im April) ganzjährig geöffnet; Erwachsene 2 €, Kinder 1,50 €, Tel. 08821/3167 (Kassenhäuschen), www.partnachklamm.eu.

HIGHLIGHTS

★ herrlicher Picknickplatz mit mehreren Holzbänken und viel Platz zum Herumlaufen und Toben
★ Spielplatz am Berggasthof Eckbauer
★ atemberaubender Blick von der Klammbrücke hinunter in die Partnachklamm
★ Spielmöglichkeit auf den Kiesbänken oberhalb der Partnachklamm
★ spannender Klammweg entlang des tosenden Wassers
★ Pferdekutschfahrten vom Ende der Klamm bis zum Skistadion
★ Besichtigung des meist geöffneten Skistadions
★ Sommerrodelbahn bei der Talstation der Eckbauerbahn
★ Fahrt mit den offenen Gondeln der Eckbauerbahn (Variante)
★ Freibadbesuch im Kainzenbad direkt am Ausgangspunkt

Tiefblick von der eisernen Klammbrücke in die Partnachklamm.

Vom großen Parkplatz am **Kainzenbad** gehen wir an dessen Ende leicht ansteigend die Kainzenbachstraße Richtung »Wamberg, Eckbauer« hinauf. Von der Zeitangabe auf dem Wegweiser brauchen wir uns nicht irritieren zu lassen – man müsste schon sehr langsam gehen, um die angegebenen 2.30 Std. von hier zum Eckbauer zu benötigen. Nach den letzten Häusern wandelt sich der Asphaltweg in einen für den Verkehr gesperrten Almfahrweg, der uns bald steil durch den Wald führt. Nach einer guten halben Stunde wird der Weg flacher, nun tauchen links und rechts des Weges Almwiesen mit Kühen auf. Bald verläuft der Weg fast eben durch die Felder und wir erreichen nach einer knappen Stunde **Wamberg**, das mit 996 m höchstgelegene Kirchdorf Deutschlands. An der Kreuzung des nur 50 Einwohner zählenden Ortes wenden wir uns nach rechts (zum Gasthof Wamberg ginge es danach gleich wieder links) und folgen der Beschilderung zum Berggasthof Eckbauer. Bald geht der Asphaltweg wieder in einen breiten Almfahrweg über, flachere und steile Abschnitte (diese sind bisweilen geteert) wechseln sich ab und über den Wiesen tauchen bereits Zugspitze und Alpspitze auf.

Nach 1.40 Std. Gesamtgehzeit erreichen wir eine große Abzweigung, links geht es hier zur Elmauer Alm, wir halten uns aber rechts und wandern weiter hinauf. Kurze Zeit später zweigt von dem breiten Weg unbeschildert ein Erdweg nach rechts ab, in den wir unbedingt einbiegen müssen. Warum man hier keinen Wegweiser aufgestellt hat, bleibt wohl das Geheimnis der Gemeindeverwaltung in Garmisch, folgt nun doch (abgesehen von der Partnachklamm) das schönste Wegstück der Tour: ein zum Barfußlaufen einladender, wunderschöner Wiesenweg hinauf zu einem grandiosen **Aussichts- und Picknickplatz** mit Marterl und Holzbänken, 1222 m. Wir genießen den sensationellen Blick auf das Karwendel- und das Wettersteingebirge, in dem die pyramidenförmige Alpspitze der 300 m höheren Zugspitze einmal mehr die Schau stiehlt.

Nun geht es den Wiesenweg ein Stück hinunter und gleich wieder hinauf zu weiteren gemütlichen Holzbänken. Von hier wandern wir bergab bis zu dem breiten Weg, den wir eben verlassen haben. In diesen biegen wir rechts ein, kommen bald an der Bergstation der Eckbauerbahn vorbei und erreichen nach 2 Std. Gesamtgehzeit den **Berggasthof Eckbauer**, 1237 m, mit seinen in der Sonne stehenden Tischen und dem herrlichen Ausblick auf die im Frühjahr und Herbst stets schneebedeckten Berge.

Direkt hinter der Terrasse der Wirtschaft führt ein gut gepflegter, schmaler Serpentinenweg Richtung Partnachklamm, über den wir nach der wohlverdienten Brotzeit absteigen. Auf dem bisweilen steilen Bergpfad kann man schon mal einen »Kniaschnaggler« bekommen, nach einer halben Stunde haben wir aber auch dies geschafft und biegen nach rechts in den breiten Weg ein, der von Hintergraseck kommt. Eine Viertelstunde später sind wir bereits in **Vordergraseck**, hier könnte man im Hotel Forsthaus Graseck oder dem Gasthaus Hanneslabauer einkehren. (Müde Bergwanderer können von hier mit der Graseckbahn zum unteren Ende der Partnachklamm hinunterfahren.)

Auf der Bergstraße vor dem Forsthaus wenden wir uns nach links und gelangen nach etwa 100 m zu einer Abzweigung. Haben die Kinder noch genügend Kraft, kann man von hier einen insgesamt etwa 20 Min. dauernden Abstecher zur 1914 gebauten **Klammbrücke** machen. Auf dieser schmalen Eisenbrücke, die die beiden Wandergebiete Hausberg und Eckbauer verbindet, überschreitet man die nur wenige Meter breite Klamm fast 70 m über dem Wasser und blickt dabei in atemberaubende Tiefe. Ein Erlebnis, das einem noch lange im Gedächtnis bleiben wird. Kleinere

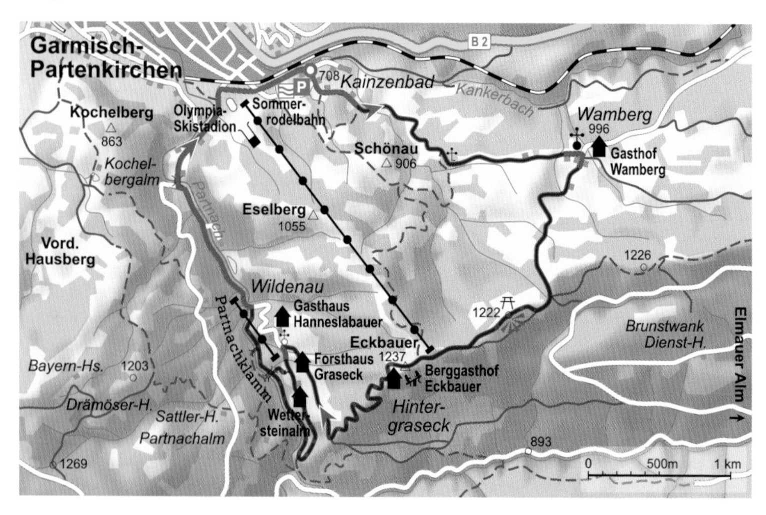

HALLO KINDER,

wenn man durch die enge Partnachklamm wandert, kann man sich kaum vorstellen, dass hier früher die frisch gefällten Baumstämme aus den umliegenden Wäldern hindurch geschleust wurden. Hierzu hat man bis vor etwa 50 Jahren die Partnach aufgestaut und die Baumstämme in den so entstandenen See geworfen. Nach Öffnung des Stauwehrs rissen die Wassermassen die Stämme mit ins Tal. Dabei verkeilten sich die Hölzer aber nicht selten in der Klamm und wurden zum Hindernis für die nachfolgenden Bäume, die sich schnell meterhoch auftürmten. Nun kamen die Triftknechte zum Einsatz. Triften kommt von »treiben (lassen)«, und genau das war die Aufgabe dieser Männer. Mit großen Haken wurden die Stämme gelöst, damit der »Flootz«, wie der schwimmende Holzhaufen genannt wurde, weiter ins Tal treiben konnte. Bei dieser gefährlichen Arbeit standen die Männer oft stundenlang im kalten Wasser und nicht wenige von ihnen kamen bei Unfällen ums Leben.

Kinder müssen hier auf jeden Fall an die Hand genommen werden, da das Geländer nicht kindersicher ist. Anstatt den steilen Weg nach Vordergraseck wieder hinaufzusteigen, könnte man nach Überquerung der Brücke auch dem Wegweiser zur Partnachklamm nach unten folgen, dann würde man allerdings an deren unteres Ende gelangen. Deshalb wandern wir den Weg von der Klammbrücke wieder zurück zur Abzweigung in **Vordergraseck** und biegen dort nach rechts ein. Nach wenigen Minuten kommen wir an der **Wettersteinalm**, 850 m (Samstag Ruhetag!), vorbei, in deren gemütlichen Gastgarten man sich einfache Speisen, Kuchen oder Eis schmecken lassen kann. Von hier steigen wir in 20 Min., zuletzt über Holztreppenstufen, zur **Partnach** ab und können auf den Kiesbänken des Gebirgsbaches noch einmal eine Verschnaufpause einlegen, bevor wir, an der Partnach entlang, hinunter zum oberen Eingang der **Partnachklamm** kommen. Wild und ungebändigt schießt das Wasser durch die Klamm, sammelt sich in Gumpen und rauscht tosend über Stromschnellen. Kleine Wasserfälle stürzen die lotrechten Klammwände hinunter – bei solch einem Naturschauspiel werden auch müde Kinder schnell wieder munter. Der mit einem soliden (aber nicht kindersicheren) Geländer versehene Weg führt meist direkt neben dem sprudelnden Wasser entlang, mehrmals sind in den Fels geschlagene, niedrige (Achtung auf Kinder in der Kraxe!) und bisweilen dunkle Tunnels zu passieren. Mal sehen, wer die besten Augen hat und die Klammbrücke, von der wir eben noch beim Abstecher hinuntergeschaut haben, als Erster ausmachen kann.

Nach gut 3.30 Std. Gesamtgehzeit erreichen wir das Kassenhäuschen am unteren Klammeingang und ersparen uns die letzte halbe Stunde Fußmarsch auf der Asphaltstraße, indem wir mit einer der Pferdekutschen zum **Skistadion** zurückfahren. Dort halten wir uns rechts, kommen an der Sommerrodelbahn vorbei und erreichen über einen neben der Straße verlaufenden Fußweg in 5 Min. den Ausgangspunkt.

9 Kreuzeck, 1650 m

Über Höllentalangerhütte und Hupfleitenjoch ab 10 J.

Durch die Höllentalklamm zum Blumenpfad

Große Anstrengungen und 2500 kg Sprengstoff waren vonnöten, bis die 1026 Meter lange Höllentalklamm im Jahr 1905 nach vierjähriger Bauzeit begehbar gemacht werden konnte. Bis heute hat das grandiose Naturschauspiel für Kinder und Erwachsene nichts von seiner Faszination verloren, die Klamm bietet uns ein tolles Wasserspektakel zwischen den engen Felswänden. Nach der Einkehr in der urigen Höllentalangerhütte geht es weiter auf einem mit Drahtseilen versicherten Steig. Hinterm Hupfleitenjoch erwartet uns dann, besonders im Juli, als grandioses Finale ein Meer von Blumen, eine Blütenpracht, wie man sie nur ganz selten findet. Dort eine traumhafte Komposition aus violettem Storchschnabel und gelben Trollblumen, drüben blaue Glockenblumen und verschiedenfarbige Orchideen und dazwischen immer wieder die kräftig rosa-rot blühenden Alpenrosen – ein herrlicher Blumenweg, den man hier in diesem touristisch gut erschlossenen Gebiet nicht vermuten würde und der deshalb Groß und Klein noch ein Stück mehr begeistern wird.

Seitenwechsel in der Höllentalklamm.

KURZINFO

Ausgangspunkt: Gebührenpflichtiger Parkplatz westlich vor Hammersbach, 770 m. Über Oberau und Farchant auf der B 2 kommend Richtung Garmisch-Partenkirchen bis zur Abzweigung »Grainau/Fernpass« und weiter über die B 23. Ca. 1,5 km nach dem Ortsausgangsschild von Garmisch-Partenkirchen links Richtung Obergrainau/Hammersbach und nach etwa 2 km links Richtung Hammersbach in die Höllentalstraße einbiegen. Nach dem Bahnübergang rechts zum Parkplatz (Navi: 82491 Grainau-Hammersbach / Höllentalstr.).

Mit der Bahn: Von München Hbf. (Halt auch in Pasing) bis Garmisch-Partenkirchen und weiter mit der Zugspitzbahn (hier gilt auch das Bayern- und das Werdenfels-Ticket) bis nach Hammersbach.

Achtung: Für die Rückfahrt mit der Zugspitzbahn von der Station Kreuzeck-/Alpspitzbahn zum Ausgangspunkt Hammersbach oder nach Garmisch letzte Fahrt der Bahn beachten; Fahrplaninformationen unter www.zugspitze.de/de/service/ueber_uns/oeffnungszeiten.htm.

Gehzeit: 5.10 Std.

Höhenunterschied: Aufstieg 980 m, Abstieg 100 m.

Ausrüstung: Bergschuhe, Regenjacke für die Klamm.

Anforderungen: Alter: ab 10 Jahren. Erst auf breitem Weg, später auf Bergsteig bis zur Höllentalangerhütte (für Kinder ab 8 Jahren, Tourfarbe »rot«). Das Teilstück durch die Klamm ist mit einem Drahtseilgeländer gesichert und gut ausgebaut, kann aber aufgrund des Wassers am Boden etwas rutschig sein. Kleinere Kinder in der Klamm an die Hand nehmen. Regenschutz ist hier erforderlich.

Der Bergsteig von der Höllentalangerhütte bis zum Hupfleitenjoch (für bergerfahrene Kinder) führt durch felsiges, steiles Gelände und ist an vielen Stellen mit Drahtseilen versehen. Trittsicherheit und Schwindelfreiheit erforderlich. Wir empfehlen, diesen Wegabschnitt mit Kindern nur bergauf zu begehen. Vom Hupfleitenjoch zum Kreuzeck auf problemlos zu gehendem Bergpfad ohne großes Gefälle. Bei der Wanderung handelt es sich um eine »leicht schwarze« Tour.

Bergbahn: Kreuzeckbahn (Gondel), Betrieb: März bis Juni 8.30–16.30 Uhr, von Juli bis Sept. bis 17.30 Uhr, im Okt. bis 17 Uhr, von Nov. bis Febr. bis 16.15 Uhr, Tel. 08821/7970, www.zugspitze.de.

Einkehr: Höllentalklamm-Eingangshütte, 1045 m, geöffnet Mitte Mai bis Mitte Okt., kein Ruhetag, Tel. 08821/8895. Höllentalangerhütte, 1387 m, geöffnet von Ende Mai bis Mitte Okt., kein Ruhetag, 80 Lager, Tel. 08821/8811, www.hoellentalangerhuette.de. Kreuzeckhaus (Adolf-Zoeppritz-Haus), 1652 m, geöffnet Mitte Mai bis Anfang Nov. und Mitte Dez. bis Mitte April, kein Ruhetag, 43 Lager, 58 Zimmerlager, Tel. 08821/2202. Café-Bar Kandaharbar, 760 m, an der Talstation der Kreuzeckbahn, im Sommer nur an Wochenenden geöffnet.

Variante: Abstieg direkt nach Hammersbach über den Stangensteig; mit bergerfahrenen Kindern ab 10 Jahren, Trittsicherheit und Schwindelfreiheit erforderlich, Gehzeit von der Höllentalangerhütte 2.15 Std. Von der Höllentalangerhütte auf dem Hinweg zurück und 5 Min. vor dem oberen Klammeingang nach rechts in den ausgeschilderten Abzweig. Auf einer Brücke über den Hammersbach und über Treppenstufen steil hinauf. Auf dem Höhenweg leicht ansteigend, teils mit Seilsicherungen über ausgesetzte Stellen weiter, wieder etwas hinunter und über die 73 m hohe schmale Brücke über die Schlucht. Hier atemberaubender Tiefblick! Noch ein Stück bergauf (Drahtseilsicherungen), dann entlang senkrechter Felsabstürze und schließlich in Kehren durch den Wald hinunter, an einer Abzweigung zum Eibsee vorbei. Bald stoßen wir beim unteren Klammeingang wieder auf den Hinweg. Auf dem bekannten Weg zum Parkplatz zurück.

Hinweis: Die Höllentalklamm ist in der Regel (witterungsabhängig) nur von Anfang Juni bis Mitte Oktober geöffnet. Der Stangensteig (Variante) ist nach schneereichen Wintern teilweise bis Ende Juli/Anfang August gesperrt; Information an der Höllentalklamm-Eingangshütte.

Schneepyramide im Juli.

Vom **Parkplatz** wandern wir auf der Höllentalstraße nach Südosten Richtung Ortsmitte und wenden uns an einer kleinen Kapelle nach rechts. Um vom Bahnhof hierher zu gelangen, folgen wir den Schienen in Fahrtrichtung, schwenken noch vor dem Bach nach links, überqueren die Straße und stehen ebenfalls vor der kleinen Kapelle. Wir gehen an dieser rechts vorbei und passieren das Wirtshaus **Hammersbacher Hütt'n**. Nun marschieren wir links des Hammersbaches auf einem

HALLO KINDER,

wenn Ihr im Juni oder im Frühsommer in der Höllentalklamm unterwegs seid, bekommt Ihr etwas ganz Außergewöhnliches zu sehen. In der Klamm türmt sich an einigen Stellen bis in den Sommer hinein noch meterhoch der Schnee, obwohl die Berge ringsherum nicht mehr weiß sind. Das kommt natürlich nicht daher, dass es in der Klamm mehr schneit als anderenorts, sondern liegt daran, dass sich der Schnee hier aus nicht weniger als sechs Lawinengebieten sammelt. Man spricht hierbei von sogenannten »Lawinenzügen«. Diese entladen sich vom Waxenstein und von der Alpspitzseite in die Klamm. Um Beschädigungen durch die große Kraft der Lawinen, die alles mitreißen würden, zu vermeiden, werden Brücken und Geländer im Herbst abgebaut und erst im Frühjahr wieder aufgebaut. In der Klamm ist es auch bei warmem Wetter kühl, sodass der Schnee nur langsam abtauen kann und wir uns selbst noch bei richtigem Badewetter über die weiße Pracht freuen können.

Urige Einkehr in der Höllentalangerhütte.

Kiesweg nur leicht ansteigend durch schönen Mischwald, überqueren den Bach und wandern auf dem breiten Weg weiter. Nach einer guten halben Stunde wird der Weg nach einer Hütte deutlich schmaler und steiniger, wir gewinnen nun schnell an Höhe und können bald auf der linken Seite einen Wasserfall bestaunen. Kurze Zeit später zweigt rechts der Stangensteig ab, wir aber gehen geradeaus weiter und erreichen kurz darauf die **Höllentalklamm-Eingangshütte**, 1045 m, mit ihrem kleinen Gaststüberl. An der Kasse entrichten wir unseren Obolus (Erwachsene 3 €, Kinder 1 €) und stehen bereits mitten in der **Klamm**. Überall fällt hier das Wasser die Felsen hinunter, bald als kleine Rinnsale, bald in Tausenden von Tropfen, verschlungen vom tosenden und tobenden Hammersbach, der gleich hinter dem Klammeingang gewaltig und donnernd in die Tiefe rauscht. Schnell die Regenjacken übergestreift, ohne die man unweigerlich nass würde, geht es eindrucksvoll auf dem in den Fels gesprengten Steig über zwei Brücken und durch ein gutes Dutzend Tunnels bis zum 150 Höhenmeter höher gelegenen Klammausgang

HIGHLIGHTS

- ★ tolle Klammwanderung, bei der von überall her das Wasser hinuntertropft, -läuft und -fällt, im Sommer oft noch meterhoher Schnee in der Klamm
- ★ viele kleine und große Wasserfälle
- ★ kleine Kletterfelsen in der Nähe der Höllentalangerhütte
- ★ spannender drahtseilgesicherter Bergsteig zum Hupfleitenjoch
- ★ Blumenpfad hinterm Hupfleitenjoch
- ★ rasante Talfahrt in den runden Gondeln der Kreuzeckbahn
- ★ Fahrt mit der Zugspitzbahn zurück Ausgangspunkt

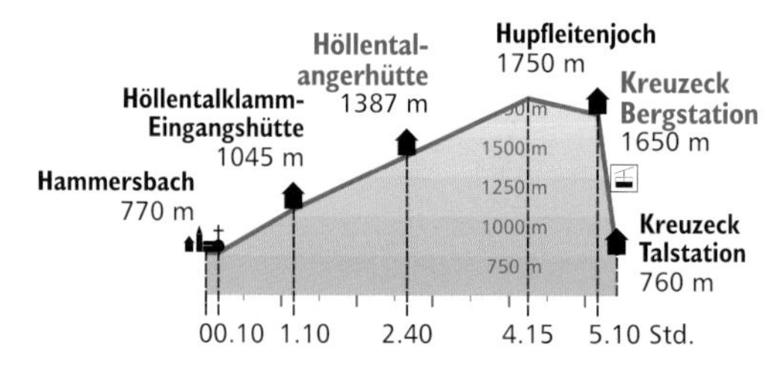

strahl, überqueren nochmals den Bach und kommen an der Abzweigung zum Stangensteig (siehe Variante) vorbei. Hier geradeaus weiter durch die abwechslungsreiche Landschaft immer entlang des Hammersbaches, vorbei an einem

stetig bergauf. Nun auf einer Holzbrücke über den Bach und vorbei an einigen unschönen Betonmauern, Relikte einer Staustufe für ein Kraftwerk, das zu Beginn des 20. Jahrhunderts Strom für den Erzabbau bei den Knappenhäusern lieferte. Nach der kühlen Klamm genießen wir nun jeden einzelnen Sonnen-

spektakulären Wasserfall, der mitten in einer Felswand entspringt. Wenn wir rechts das kleine Kircherl erblicken, weitet sich das Tal und wir erreichen nach wenigen Minuten die in einem Felskessel gelegene **Höllentalangerhütte**, 1387 m, mit der herrlichen Aussicht auf den Höllentalferner und die dahinter aufra-

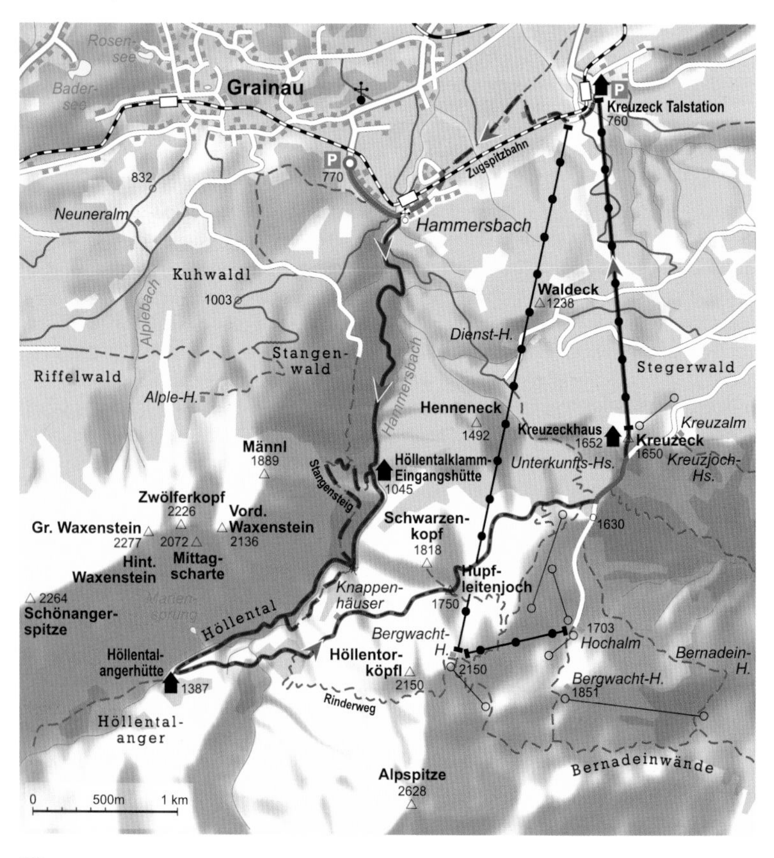

Kreuzeckbahn – 890 Höhenmeter in 7 Minuten.

gende Zugspitze. Wer lieber in Ruhe Picknick macht, geht von der Hütte noch ein paar Minuten das breite, meist ausgetrocknete Bachbett hinauf und findet dort mit Sicherheit ein gemütliches Plätzchen. Für die Kinder gibt es hier auch einige Felsblöcke, auf denen sie ihre Kletterkünste erproben können.

Weiter geht es aber direkt von der Höllentalangerhütte nach links, der Beschilderung »Hupfleitenjoch, Kreuzeckhaus« folgend, auf einem zwar ausreichend breiten, aber auf der linken Seite senkrecht abfallenden Weg mit einigen Drahtseilsicherungen. Wir kommen zu den nicht mehr bewirtschafteten **Knappenhäusern** und wandern weiter (hier sind ebenfalls zahlreiche Seilsicherungen) bis zum **Hupfleitenjoch**, 1750 m. Hier wenden wir uns nach rechts hinunter (links ginge es unbeschildert zum Schwarzenkopf, 1818 m), gehen an der nächsten Wegverzweigung links und erfreuen uns an den herrlichen Alpenblumen, die mit jedem Schritt immer noch mehr zu werden scheinen. Bald sehen wir das Kreuzeckhaus auf dem gegenüberliegenden Bergrücken und erreichen zuletzt über einen Fahrweg die **Bergstation der Kreuzeckbahn**, 1650 m, mit der wir in wenigen Minuten in einer der runden Gondeln zur Talstation hinunterdüsen.

Von hier können nun die Bahnfahrer mit der Zugspitzbahn direkt nach Garmisch zurückkehren. Die Autofahrer fahren eine Station in entgegengesetzter Richtung oder gehen über den Bahndamm und dann links auf einem Fußweg über die Wiesen in 30 Min. nach **Hammersbach** zurück.

10 Hoher Kranzberg, 1391 m

Über die Korbinianhütte ab 8 J.

Feuerwerk der Sinne auf dem Barfußpfad

Weniger ist oft mehr. Wer nach dem Aufstieg am Berggasthaus St. Anton gleich oberhalb der Sesselbahnbergstation seine Schuhe in dem bereitstehenden Schuhregal verstaut und schuh- und strumpflos den Barfuß-Panorama-Weg erkundet, taucht mit jedem Schritt in eine neue Sinneswelt ein. Für Kinder und Erwachsene ist das ein einziger, großartiger Abenteuerspielplatz, ein herrliches Sinneserlebnis, das man umgeben von der faszinierenden Bergwelt des Karwendels noch ein Stück besser genießen kann.

Los geht's über die »Fußtapsenstrecke« und erstaunlich weiche Fichtenzapfen, bevor man über Rundhölzertreppenstufen zu einem natürlichen Matschbecken hinunterkommt, in dem die Kinder schon mal bis zu den Knien einsinken können. Hier ist aber auch eine Umgehungsmöglichkeit über einen Holzsteg vorhanden. Danach läuft man über den Bärentatzenweg zum Wackelbalken, den im Jahr 2009 sogar der bayerische Gesundheitsminister Markus Söder mit Bravour gemeistert hat, und erreicht über Stöckchengreifstation, Holzpflaster, Knotenspiel, Waldrandtreppe und Findlingsstrecke die Aussichtsstation mit zwei Rastbänken. Über einen Baumstamm, Holzstelzen und Fühltreppen mit Kieseln, Hackschnitzeln und Sand gelangt man schließlich zum Kneipp-Bachlauf, bevor sich die Kinder an der neuen Wassererlebnisstation und dem Spielplatz vergnügen können. Etwas widerstrebend wird so mancher danach die Schuhe wieder anziehen, zu schön war das Gefühl der Freiheit und der direkten Naturverbundenheit auf blanken Sohlen. Aber spätestens im Strandbad gegen Ende der Tour können wir uns ja schon wieder der »Treter« entledigen und nicht nur unseren Füßen im Lautersee eine Erfrischung im kühlen Nass gönnen.

Kletterspaß auf dem Barfuß-Panorama-Weg.

KURZINFO

Ausgangspunkt: Gebührenpflichtiger Parkplatz an der Talstation der Kranzbergbahn, 980 m. Von Garmisch-Partenkirchen kommend auf der B 2 bis Ausfahrt Mittenwald Nord. Kurz vor Mittenwald scharf rechts Richtung Klais und zweimal links der Beschilderung zum Kranzberg (Sessellift-Symbol) bis zur Talstation folgen (Navi: 82481 Mittenwald / Am Kalvarienberg).
Mit der Bahn: Von München Hbf. (Halt auch in München-Pasing) bis Mittenwald. Dort über die Bahnhofstraße Richtung Ortsmitte, links in die Hochstraße einbiegen, an der Kirche St. Peter und Paul vorbei und über den Jais- und den Gröblweg zum Ausgangspunkt (25 Min. Gehzeit).
Gehzeit: 3.30 Std., für den Barfußweg ca. 1 Std. zusätzlich.
Höhenunterschied: 470 m.
Ausrüstung: Profilierte Trekkingsandalen, Wechselkleidung, Badesachen.
Anforderungen: Alter: ab 8 Jahren. Leichte Familienwanderung über Wiesen- und gut ausgebaute Bergwege, die auch für Kinder ohne Bergerfahrung gut geeignet sind. Die Einordnung als »rote« Tour erfolgt aufgrund der Länge der Wanderung und der zu überwindenden Höhenmeter. Bei Benutzung der Kranzbergbahn ist die Tour für Kinder ab 6 Jahren geeignet. Zu Beginn der Tour ist etwas Orientierungssinn erforderlich.
Bergbahn: Kranzbergbahn (Einersessellift), Betrieb täglich von 9–16.25 Uhr von ca. 3 Wochen nach Ostern bis Mitte Okt., bei schönem Wetter auch in den Herbstferien (Anfang Nov.) und vom 24.12. bis Ende der Osterferien, Tel. 08823/1553. Kinder unter 6 Jahren fahren auf dem Schoß eines Erwachsenen.
Einkehr: Korbinianhütte, 1200 m, Freitag Ruhetag, Übernachtung im Ferien-Appartmenthaus, Tel. 08823/8406, www.korbinianhuette.com. Berggasthaus St. Anton, 1250 m, kein Ruhetag, Tel. 08823/8001. Kranzberghaus, 1350 m, ganzjährig geöffnet, kein Ruhetag, 35 Betten in Mehrbettzimmern oder Matratzenlager, Tel. 08823/1591, www.kranzberghaus.de.

HIGHLIGHTS

- ★ barfußtauglicher Wiesenweg mit Bachüberquerung zu Beginn der Tour
- ★ kleiner Spielplatz am Gasthaus Korbinianhütte (Schaukel, Sandkiste)
- ★ 1,6 km langer, kostenloser Barfuß-Panorama-Weg mit 24 Fühl-, Balancier- und Wasserstationen und einem Spielplatz mit Rutsche, Schaukel und Klettermöglichkeiten am Berggasthaus St. Anton
- ★ Spielplatz am Kranzberghaus mit Sandkasten, Schaukeln, Wippe, diversen Klettermöglichkeiten und einem tollen Stelzenhaus
- ★ am Lautersee schöne Bademöglichkeit im Strandbad (Erwachsene 2 €, Kinder ab 6 Jahren 1 €) mit Beachvolleyballfeld, Trampolin, Spielplatz
- ★ spannender Bachweg mit Wasserfall am Ende der Tour

Lautersee-Alm, 1014 m, geöffnet zu den Strandbadöffnungszeiten, Montag Ruhetag. Lautersee-Oase, 1014 m, geöffnet zu den Strandbadöffnungszeiten.
Variante: Verkürzung der Tour durch Auf- und/oder Abfahrt mit der Sesselbahn oder durch direkten Abstieg von St. Anton zum Lautersee. Für letztere Variante unmittelbar vom betonierten Bereich des Gasthauses St. Anton den kleinen Pfad (Beschilderung: Lautersee, Kalvarienberg, Mittenwald) hinunter und auf einem vorbildlich gepflegten Bergweg durch den Wald. An einer Verzeigung rechts (»Mittenwald, Lautersee«), über eine Holzbrücke und den zum Schluss breiter und fast eben werdenden Weg zum Lautersee (45 Min. Gehzeit.).

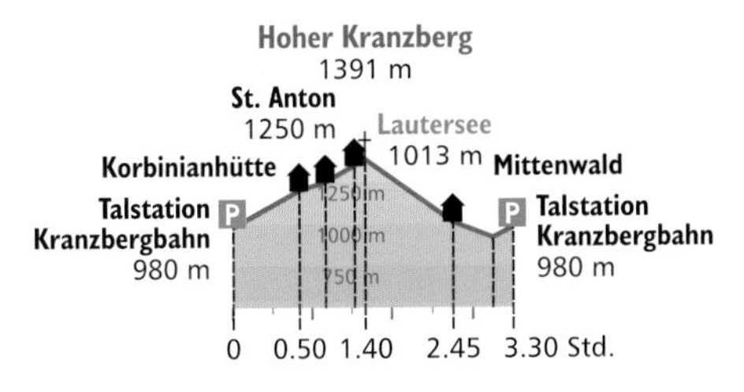

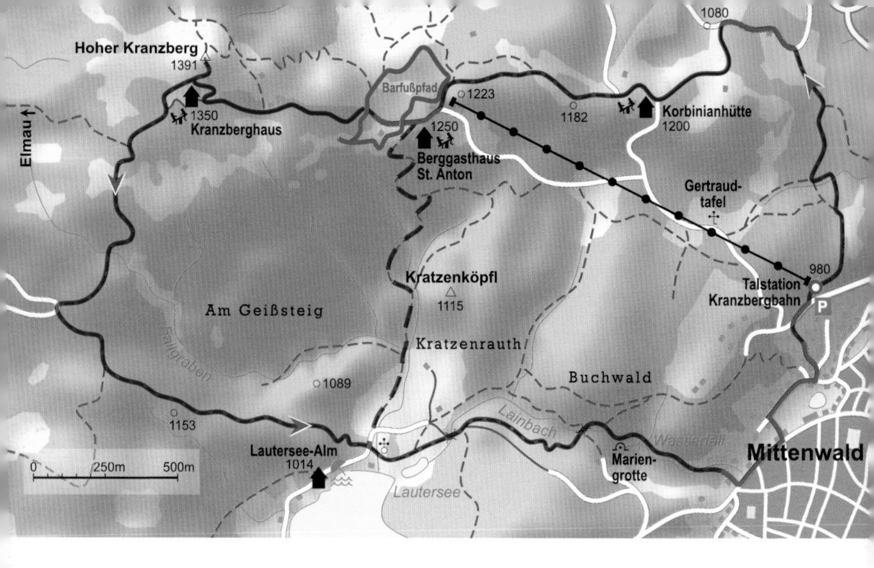

Wir starten direkt am **Kassenhäuschen** an der Talstation der **Kranzbergbahn**, gehen von dort geradeaus die wenigen Steintreppen hinauf und wandern (unbeschildert) nach rechts auf dem breiten Wiesenweg neben einem schmalen Teerstreifen bergan. Nach etwa 5 bis 10 Min. kommen wir an einer Moorwiese vorbei, folgen weiter ein paar Meter dem breiten Wiesenweg und müssen nun aufpassen: An einem rechts des Weges stehenden Baum, dessen Stamm sich etwa einen Meter über dem Boden in drei Äste teilt, verlassen wir den breiten, sich nach links wendenden Wiesenweg und schwenken nach rechts in einen kaum ausgetretenen Pfad. Wir kommen an einem Farnfeld und mitten in der Wiese stehenden alten Kiefern vorbei und gehen geradeaus hinunter zu einem kleinen **Bach**. Ein wunderbarer Platz, der zum Verweilen und Spielen einlädt!

Nach der Überquerung des Baches steigen wir auf der anderen Seite wieder hinauf, bis wir nach etwa 50 m auf einen sehr kleinen Pfad treffen, in den wir nach links einbiegen. Nach etwa 50 m stoßen wir wieder auf den breiten Wiesenweg, den wir eben verlassen haben, und wandern rechts auf diesem weiter. Nach wenigen Minuten schwenken wir wiederum nach rechts zu einer Rastbank und biegen in den daneben verlaufenden Kiesweg links ein. Kurze Zeit später treffen wir auf das für den Verkehr gesperrte Teersträßchen, das vom Luttensee hinaufführt, halten uns links und wandern weiter, bis sich die Straße teilt. Beide Wege führen zur Korbinianhütte, wir wählen den linken und erreichen 20 Min. später die gemütliche **Korbinianhütte**, 1200 m, mit ihrem kleinen Spielplatz und ihrer fantastischen Aussicht auf das Karwendelmassiv.

Von hier geht es, an den für das Gebiet typischen Buckelwiesen vorbei, weiter aufwärts auf einem Kiesweg (Beschilderung: St. Anton), den wir nach 10 Min. in einen unbeschilderten Wiesenweg nach links verlassen

Spielplatz unterm Kranzberghaus, im Hintergrund das Wettersteinmassiv.

Blick vom Hohen Kranzberg auf den Wildensee.

können. Nun stoßen wir bald auf die Station 7 des Barfußparcours und gehen den Parcour in umgekehrter Reihenfolge bis zum **Berggasthaus St. Anton**, 1250 m. In einem Schuhregal verstauen wir unsere Schuhe und gönnen unseren Füßen und uns selbst auf dem 1,6 km langen **Barfuß-Panorama-Rundweg** mit seinen 24 ideenreichen Stationen die große Freiheit, die verschiedensten Untergründe barfuß zu erleben.
Wenn die Kinder danach schon müde sind, besteht die Möglichkeit, in 5 Min. zur Bergstation der Kranzbergbahn hinunterzugehen und von dort mit dem Einersessellift ins Tal zu schweben. Wir entscheiden uns aber dafür, eine große Runde zu machen, und wandern von St. Anton auf dem breiten Kiesweg bergan Richtung Gipfel. Nach wenigen Minuten können wir den breiten Weg in einen kleineren Fußweg nach links verlassen, kommen aber bald wieder auf den breiten Weg und schwenken nach kurzer Zeit am Schild »Aussichtspunkt« (gemeint ist der Gipfel) nach rechts. Wir kommen am **Kranzberghaus**, 1350 m, und dem dahinterliegenden Spielplatz vorbei und erreichen den **Hohen Kranzberg**, 1391 m, mit fantastischer Aussicht auf die liebliche Landschaft mit ihren Buckelwiesen, den Wildensee und die dahinterliegende Bergwelt vom Krottenkopf im Norden über die Benediktenwand bis zum hin zum Wörner im Osten. Vom Gipfel wandern wir wieder hinunter zum Spielplatz, gehen mit herrlichem Blick auf das Wettersteinmassiv rechts an diesem vorbei und folgen auf dem nicht allzu breiten Kiesweg der Beschilderung zum Lautersee. An einer Verzweigung, an der es rechts nach Elmau geht, halten wir uns links. Wir marschieren bald durch schönen Mischwald, bis wir auf eine breite Forstraße treffen, in die wir links einbiegen. Bereits nach wenigen Metern verlassen wir die Straße wiederum nach links (»Lautersee, Ferchensee«) in einen wesentlich kleineren Weg. An einer Rastbank mit Tisch verzweigt sich der Weg, hier wenden wir uns nach links (»Lautersee«) und erreichen bald den **Lautersee**, 1013 m, mit Einkehrmöglichkeit in der **Lautersee-Alm**.

Direkt daneben lockt im Strandbad mit Spielplatz und Beachvolleyballfeld ein Sprung ins kühle Nass.
Jetzt ist es nicht mehr weit bis nach Mittenwald. Wir gehen über die kleine Holzbrücke, lassen die Kapelle links liegen und wandern durch den Magerrasen mit seinen schönen Blumen. An der nächsten Weggabelung wenden wir uns nicht schon jetzt nach links Richtung Laintal, sondern halten uns rechts Richtung Mittereck und Mittenwald. Der Weg geht bald in einen breiteren, leicht bergan führenden Kiesweg über, den wir aber schon nach etwa 50 m links in den kleinen Pfad an dem etwas versteckt liegenden Schild »Laintal, Mittenwald« wieder verlassen. Nun wandern wir durch lichten Wald, halten uns an einer Verzweigung links und überqueren auf einer Holzbrücke den **Lainbach**. Links besteht hier eine schöne Spielmöglichkeit am Bach.
Wir schwenken aber nach rechts, ignorieren eine Abzweigung nach links zur Talstation der Kranzbergbahn, wandern am Bach entlang und freuen uns auf den letzten Höhepunkt unserer schönen Wanderung. Der Lainbach fließt nun immer schneller, beginnt zwischen den Steinen zu sprudeln und schießt die Felsen hinunter. Über eine Brücke können wir einen kleinen Abstecher über den reißenden Bach zu einer Mariengrotte machen und kommen an einer weiteren Madonna vorbei, die wohl nur mit einer Klettereinlage im Fels angebracht werden konnte. Ein Stück weiter unten staunen wir über den beeindruckenden **Wasserfall**, zu dem wir von dem gut ausgebauten Bergweg hinaufschauen können. Am Bach entlang erreichen wir von hier in 10 Min. die ersten Häuser von **Mittenwald**. Wir biegen links in die Laintalstraße ein, dann ebenfalls links in den Klausnerweg, kommen nach einer Rechtsbiegung am Gästehaus Bergzauber vorbei, gehen den Schwibbacherweg ein Stück hinunter und biegen an der nächsten Kreuzung in die Straße nach links ein. Nun hinauf über die vielen Treppenstufen des Schillerweges und oben rechts haltend wieder zurück zum **Parkplatz**.

HALLO KINDER,

wenn Ihr nun wie ich, am besten mit Euren Eltern zusammen, öfter mal ohne Schuhe lauft, werdet Ihr bald bemerken, dass sich – wie bei den Indianern – eine Art »Schuhsohle« bildet, mit der Ihr problemlos in der freien Natur über Wiesen und Waldwege, durch Bäche, aber auch über steinige Wegabschnitte barfuß laufen könnt, ohne dass es Euch wehtut.
Die Haut besteht aus drei Hautschichten, der Oberhaut, der Lederhaut und der Unterhaut. Durch das Barfußlaufen wird die Lederhaut schnell strapazierfähiger und dicker. Das hat aber nichts mit Hornhaut zu tun, wie viele fälschlicherweise glauben, denn Hornhaut sind abgestorbene Hautschuppen, wohingegen die Lederhaut sich bester Gesundheit erfreut. Mit so einer etwas dickeren Haut spürt Ihr nicht mehr jedes kleine Steinchen unter Euren Fußsohlen und dann macht das Barfußlaufen erst so richtig Spass. Aber abends Füßewaschen nicht vergessen!

11 Leutaschklamm

Über den Leutasch-Mittenwald-Klammsteig ab 6 J.

Vom Klammgeist in der Leutaschklamm

Der Klammgeist verstreut seinen funkelnden Goldschatz in der Klamm, um die Kobolde, die ihm als Gehilfen gegen die schatzlüsternen Menschen zur Seite stehen, reich zu beschenken. So will es die Sage. Sagenhaft ist auch der Regenbogen, der von Mitte Mai bis Anfang August von 9 bis 9.30 Uhr die »alte« Klamm verzaubert, die 1880 als erste Klamm der deutschen Alpen erschlossen wurde. Ganz anders mutet der neue Klammgeistweg an, der sich seit 2006 in gespenstischer Höhe über den bis dahin unerschlossenen Klammabschnitt schlängelt. Neben atemberaubenden Blicken auf Höllenwasser, Geistergumpen und Hexenkessel bietet er allerhand Versuche für Groß und Klein.

Vorsicht, laut!

KURZINFO

Ausgangspunkt: Gebührenpflichtige Parkplätze quer zur Straße gegenüber der Autowerkstatt Ammer in Mittenwald, 920 m. Von Garmisch-Partenkirchen kommend auf der B 2 an Mittenwald vorbei, dann rechts der Beschilderung nach Leutasch folgen. Auf der Innsbrucker Straße nach Mittenwald hinein und vor der Isarbrücke parken (Navi: 82481 Mittenwald / Innsbrucker Str. 54).
Mit der Bahn: Von München Hbf. (Halt auch in München-Pasing) bis Mittenwald. Dort entlang der Bahnhofstraße, bis links die Karwendelstraße abbiegt. Diese geht in die Innsbruckerstraße über. Kurz vor der Isarbrücke befindet sich die Kapelle des Hl. Nepomuk (20 Min. Gehzeit).
Gehzeit: 2.30 Std.
Höhenunterschied: 175 m.
Ausrüstung: Gut profilierte Trekkingschuhe. In der alten Klamm ist es kühl und feucht, Regenschutz ist empfehlenswert.
Anforderungen: Alter: ab 6 Jahren.

HIGHLIGHTS

★ Forellen-Füttern am Beginn der alten Klamm
★ Klammgeiststeig mit spannenden Versuchsstationen zu Optik und Akustik, Picknickmöglichkeit, Geisterquiz und Pflanzenratestation
★ Hasen am Gasthof Gletscherschliff
★ Spielmöglichkeit an der Leutascher Ache am Ende der Tour

Die Tour verläuft auf Kieswegen sowie auf gut ausgebauten Bergwegen. In der alten Klamm Holzstege, der neue Klammsteig führt ausschließlich über Metallgitter.
Leutaschklamm: Geöffnet ab Mai 9–18 Uhr, Sept. und Okt. 10–17 Uhr, Eintritt: Erwachsene 2 €, Kinder 1 €, www.leutasch-klamm.de.
Einkehr: Uriger Klammkiosk, 940 m, Öffnungszeiten wie die Klamm. Berggasthaus Gletscherschliff, 1020 m, Montag nur bis 17 Uhr geöffnet, Dienstag Ruhetag, 2 Wochen Betriebsruhe im April, Tel. 08823/1453, www.gletscherschliff.com.

Atemberaubender Tiefblick in die Leutaschklamm.

Gut gesicherter Klammgeiststeig.

Am **Parkplatz** überqueren wir die Innsbrucker Straße und gehen ein Stück nach rechts Richtung Ortsmitte und über die Isarbrücke. Gleich darauf biegen wir an der **Kapelle des Hl. Nepomuk** links in die autofreie Straße »Am Köberl« ein, folgen der Beschilderung zur Leutaschklamm und erreichen bald den **Klammkiosk**, 940 m, der seit 1880 zum Verschnaufen einlädt.

Rechts beginnt der Koboldpfad, wir gehen aber erst links um das Hütterl herum zum Eingang des **Wasserfallsteigs**, wie der alte Klammweg auch genannt wird. In Bayern bezahlen wir unseren Eintritt und just in dem Moment, in dem wir die Klammpforte passieren, stehen wir auf österreichischem Boden. Nachdem wir den Automaten mit 20 Cent und anschließend die Fische mit dessen Inhalt gefüttert haben, wandern wir auf einem mit einfachem Geländer gesicherten Holzsteg, der stellenweise rutschig sein kann, den Wasserfallsteig entlang. Er beeindruckt mit bizarren Felsformationen und führt uns knapp 250 m in die Schlucht bis zum Herzstück der Leutaschklamm: einem 23 m hohen **Wasserfall**, dem tosenden Schloss des Klammgeistes. Frühaufsteher belohnt der Klammgeist an sonnigen Tagen von Mitte Mai bis Anfang August mit einem zauberhaften Regenbogen.

Wir gehen zum Klammkiosk zurück, links daneben beginnt nun der **Koboldpfad**, der uns bis zur Leutascher Geisterklamm ein Stück begleiten wird. Auf dem Weg dorthin werfen wir einige Blicke ins »Eiszeit-Tagebuch« der hier seit 10.000 Jahren hausenden Kobolde. Einige Meter höher und parallel zum eben begangenen Wasserfallsteig kommen wir schließlich wieder an die bayerisch-österreichische Grenze, die wir auch gleich besetzen, um kurz zu Verschnaufen. Nach kurzzeitig sehr steilem Fußmarsch erreichen wir den Einstieg in die **Geisterklamm** und bekommen einen Vorgeschmack auf die kommenden 970 m: Die an den Schluchtwänden aufgehängten Stahlstege und gigantischen Stahlbrücken mit ihren durchgehenden Seitensicherungen wollen zwar so gar nicht in die Landschaft passen, geben aber auf über 70 m Höhe ein sicheres Gefühl – selbst den Kleinsten kann hier nichts passieren. Über Stufen gehen wir jetzt steil hinunter bis zur ersten Brücke, von der wir unbedingt einen ebenso atemberaubenden wie unheimlichen Blick in die hier gut 75 m tiefe Klamm werfen müssen.

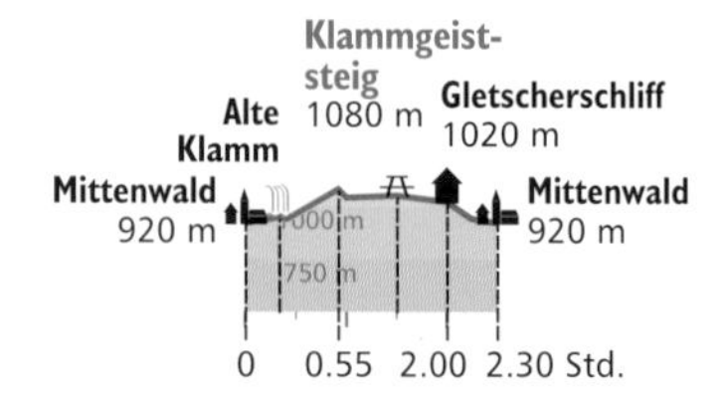

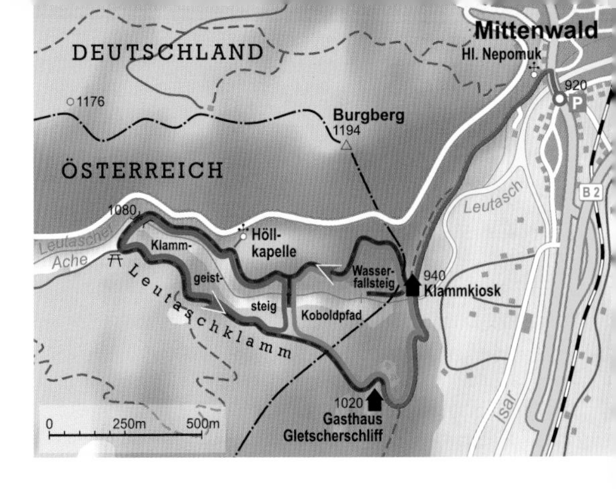

Weit unter uns bahnt sich die Leutascher Ache, bewacht von hohen Bäumen, gischtend und tosend ihren Weg zum Wasserfall. Wir verlassen die Brücke und setzen unseren Weg wieder auf der rechten Klammseite fort. Nun laufen wir an einem 75 m langen Seil entlang, das uns noch einmal die Tiefe der Klamm veranschaulicht. Einige Stationen später erreichen wir die zweite Brücke. Wieder kommen wir an einigen interessanten Experimenten vorbei, bevor wir die Klamm durch die »Regenbogenschlange« verlassen und dem Klammgeist auf der »Feenharfe« ein Abschiedslied spielen.

Nach einer Rast an den bald auftauchenden Picknickbänken mit Tisch, Wackelbalken und Balancierbaum schwenken wir nach links und folgen der Beschilderung zum Gasthaus Gletscherschliff. Bald treffen wir wieder auf den Koboldpfad. Würden wir hier links in den Waldweg einbiegen, kämen wir zur Panoramabrücke, die wir auf dem Hinweg nur kurz betreten haben. Wir folgen dem Weg aber geradeaus weiter hinunter und kommen zum **Berggasthaus Gletscherschliff** mit seinem gleichnamigen Naturdenkmal. An der nächsten Gabelung halten wir uns links Richtung Mittenwald und erreichen bald wieder den Klammkiosk.

Nun wandern wir auf dem Hinweg wieder zurück. Wer noch Lust hat, kann eine kleine Rast auf der Kiesbank der Leutascher Ache mit ihrem kristallklaren Wasser einlegen.

HALLO KINDER,

bestimmt wisst Ihr, wie ein Regenbogen aussieht. Ich möchte Euch erklären, wie er entsteht. So ein Regenbogen braucht zwei Zutaten: Sonnenschein und gleichzeitig viele Wassertröpfchen in der Luft – wie nach einem kräftigen Regenschauer oder wie hier in der Klamm, wo der Wasserfall so »staubt«, dass man ganz nass wird. Trifft nun das weiße Sonnenlicht auf die Wassertröpfchen, wird es »gebrochen«, das heißt, der Sonnenstrahl fällt nicht gerade hindurch, sondern er wird in diesen winzigen Tröpfchen abgelenkt und findet seinen Ausgang an einer ganz anderen Stelle. Je nachdem, wie stark das Licht abgelenkt wird, entsteht eine andere Farbe: Rot, Orange, Gelb, Grün, Hellblau, Dunkelblau oder Violett. Diese sogenannten Spektralfarben bilden in der oben genannten Reihenfolge von innen nach außen den Regenbogen.

Einen Regenbogen könnt Ihr übrigens ganz leicht selber machen, indem Ihr mit einer Wassersprühflasche quer zum Sonnenlicht sprüht.

12 Kreutalm, 790 m

Von Schlehdorf

ab 6 J.

Zum Biergarten mit Spielplatz überm Kochelsee

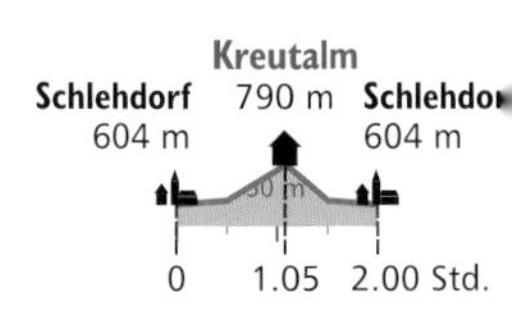

Viele bekannte Persönlichkeiten haben der Kreutalm über dem Loisachtal schon einen Besuch abgestattet. Die Gästeliste reicht von Franz-Josef Strauß, der hier stets seine Wahlsiege feierte, über Albert von Monaco und das schwedische Königspaar mit seinen Kindern bis hin zum Komponisten Richard Strauß und seiner Familie. Der Blick auf den Kochelsee und die umliegenden Berge ist herrlich, der Biergarten mit seinem schönen Spielplatz überschaubar und urgemütlich – da muss man sich einfach wohlfühlen. Eine interessante Besonderheit erwartet uns zudem in dem kleinen Ort Schlehdorf, dem Ausgangspunkt unserer Wanderung: In der Seestraße stehen zwölf aneinandergereihte, annähernd gleiche Bauernhäuser, die zur Straße hin herausgeputzt sind, im hinteren Teil aber noch als richtige Bauernhöfe fungieren. Ihre Bauweise ist auf eine Brandkatastrophe im Jahr 1846 zurückzuführen, als der Ort fast vollständig zerstört wurde. Für die Neuerrichtung des Dorfes legte die Regierung in München verbindlich die Baulinien und die rechtwinklige Straßenführung fest. Die Wohnhäuser, Ställe und Scheunen mussten von gleicher Bauart und ohne Erker sein, selbst die Gärten waren gleich groß anzulegen. Aufgrund des einzigartigen Aussehens steht das Ensemble der zwölf Häuser heute als Ganzes unter Denkmalschutz.

Schlittengaudi an der Kreutalm.

KURZINFO

Ausgangspunkt: Gasthaus Klosterbräu, 604 m. Von Großweil an der A 95 über die Kocheler Straße ca. 4 km bis Schlehdorf fahren und dort in die Seestraße nach rechts einbiegen. Vor dem Gasthaus befinden sich einige wenige Parkplätze für Nicht-Gäste. Weitere Parkmöglichkeiten am Ende der Seestraße am Holzlagerplatz des Schlehdorfer Weideverbandes (gegenüber der Wandertafel) oder entlang der Durchgangsstraße auf den markierten Flächen (Navi: 82444 Schlehdorf / Seestr.).
Gehzeit: 2 Std.
Höhenunterschied: 190 m.
Ausrüstung: Trekkingsandalen.
Anforderungen: Alter: ab 6 Jahren. Ganz leichte Familienwanderung erst auf einer kleinen Asphaltstraße, dann auf wunderschönem Wiesenweg.
Einkehr: Alpengasthof Kreutalm, Anfang März bis 15. Nov. kein Ruhetag, danach bis Ende Nov. nur an den Wochenenden geöffnet. Dez. mit Feb. Betriebsruhe (außer 25.12.–6.01.), Tel. 08841/5822, www.kreutalm.de. In Schlehdorf u.a. Gasthaus Klosterbräu, ganzjährig geöffnet, von Okt. bis Mai Dienstag Ruhetag, Tel. 08851/286, www.klosterbraeu-schlehdorf.de.
Variante: Wer auf möglichst wenig Asphalt wandern möchte, kann die Tour auch von Großweil aus gehen. Parkgelegenheit am Rathaus von Großweil in der Kochelerstraße. Von hier nach rechts, am kleinen Kräutergarten vorbei und links in die Kreutstraße. Nach knapp 200 m links in den asphaltierten Angerweg und auf diesem geradeaus weiter. Nach etwa 600 m macht der Angerweg eine scharfe Linkskurve, hier auf dem Feldweg geradeaus weiter. An einer Verzweigung mit Bank links auf einem Wiesenweg entlang, bis wir auf den breiten Weg treffen, der die Wanderer, die sich für die Hauptroute von Schlehdorf entschieden haben, hierher bringt. Hier am Schild »Gasthof Kreutalm (nur Fußweg)« nach rechts und weiter wie bei der Haupttour beschrieben zur Kreutalm. Hinweg wie Rückweg, Gehzeit insgesamt 1.45 Std.

Aufstieg über schöne Wiesenwege.

HIGHLIGHTS

★ barfußtauglicher Wiesenweg im zweiten Teil der Wanderung
★ schöner Wiesenspielplatz mit Sandkiste, Babyschaukel, Schaukel, kleiner Rutsche, Klettertrapez von Baum zu Baum, zwei großen Trampolinen und viel Platz zum Toben direkt im Biergarten des Alpengasthofs Kreutalm; neben dem Spielplatz großer, alter Nostalgieschlitten zum Spielen
★ Bademöglichkeit in Schlehorf im Kochelsee am »Gmoala« (hinter dem Holzlagerplatz der Weidegemeinschaft an der Seestraße) mit Holzsteg oder bei der Schiffsanlegestelle mit Sprungbrett und Flößen
★ Schifffahrten auf dem Kochelsee (Infos unter: www.motorschiffahrt-kochelsee.de)
★ Besuch im Freilichtmuseum Glentleiten nur 500 m vom Alpengasthof Kreutalm entfernt;
Öffnungszeiten: April bis Ende Okt. Dienstag bis Sonntag 9–18 Uhr; Montags geschlossen, außer im Juli und August sowie an Feiertagen. Tel. Museumskasse 08851/18510, www.glentleiten.de

Vom **Gasthof Klosterbräu** gehen wir auf der Seestraße in südwestlicher Richtung und biegen nach etwa 300 m rechts in die **Karpfseestraße** ein. Hier befindet sich ein Bauernhof neben dem anderen, die Zeit scheint an diesem Ort stehen geblieben zu sein. Wir wandern auf der kaum befahrenen Straße geradewegs aus dem Ort und folgen der Beschilderung zur »Kreut-Alm« und zum »Freilichtmuseum«. Nach etwa 800 m geht die Karpfseestraße in die **Reuterbühlerstraße** über, die sogleich nach links dreht. Wir marschieren auf dieser kleinen Asphaltstraße nun noch einige hundert Meter weiter, dann weist uns ein Wegweiser nach rechts in einen Schotterweg. Nach wenigen Minuten kommen wir an einen Schilderbaum, der uns zwei Alternativen zur Kreutalm aufzeigt. Wir halten uns an das Schild »Gasthof Kreut Alm (nur Fußweg)« und wandern geradeaus den leicht ansteigenden Almweg mit Wiesenmittelstreifen hinauf, während wir die oberbayerische Bilderbuchlandschaft mit den saftigen Wiesen und ihrem Weidevieh bestaunen können. Nach einem Weidezaun wandelt sich der Weg bald zu einem reinen Wiesenweg. Wer gern barfuß läuft, kann hier seine Schuhe ausziehen und direkt bis zur Gaststätte über weiches Gras wandern, wenn er folgendes beachtet: Kurz unterhalb der bereits sichtbaren **Kreutalm** folgen wir nicht dem Wegweiser nach rechts in den querenden Schotterweg, sondern steigen geradeaus den mal mehr, mal weniger deutlichen Pfad direkt zum Biergarten hinauf. Den Wirt haben wir gefragt, er hat nichts gegen die Abkürzung einzuwenden.

So sind wir noch ein bisserl schneller im gemütlichen Wirtsgarten und können vom Gasthaus wunderschön auf den Kochelsee und die dahinterliegenden Berge mit dem Jochberg schauen, während die Kinder bereits den schön angelegten Spielplatz und die Trampoline erstürmt haben. Auf der Speisekarte der Kreutalm ist für jeden etwas dabei, vom bayerischen Schweine-

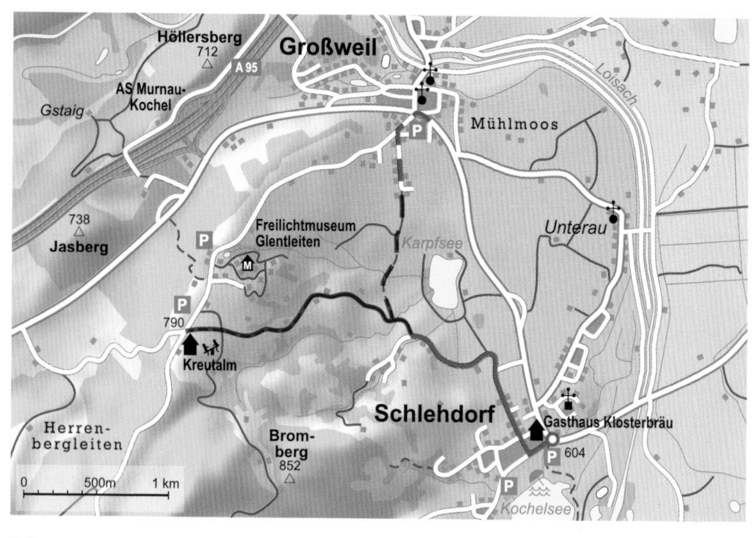

Blick auf den Kochelsee – rechts der Jochberg.

braten über wöchentlich wechselnde Gerichte aus der vegetarischen Küche bis zu einer Reihe von Kindergerichten.
Nach der Stärkung wandern wir auf dem Hinweg wieder zurück und freuen uns über den schönen Blick auf das Kloster Schlehdorf und das Walchenseekraftwerk, bevor wir vielleicht noch zum Abschluss im Kochelsee ein erfrischendes Bad nehmen.

HALLO KINDER,

das Freilichtmuseum Glentleiten bietet spannende Ausflüge in die Vergangenheit! Und da ein reiner Museumsbesuch ziemlich langweilig ist, gibt es hier neben alten Bauernhäusern auch original Werkstätten, in denen gezeigt wird, wie die Handwerker früher gearbeitet haben. Viele Sachen könnt Ihr selbst ausprobieren und sogar herstellen – ganz ohne elektrische Geräte! Früher gab es zum Beispiel kein elektrisches Licht, deshalb gingen die Bauern praktisch mit den Hühnern ins Bett oder stellten selbst Kerzen her, um Licht ins Dunkel zu bringen. Auch gab es keinen Kühlschrank, aber Eier, Fleisch und Milch in Hülle und Fülle! Habt Ihr schon einmal Butter selbst gemacht? Wie bekam man das Wasser in den Kochtopf, wenn doch kein Wasserhahn vorhanden war, den man nur aufzudrehen braucht? Diesen und anderen interessanten Fragen könnt Ihr auf der Gentleiten auf den Grund gehen. Teilweise muss aber für diese Attraktionen zusätzlich etwas bezahlt werden.

13 Blomberg und Zwiesel, 1348 m

Über das Blomberghaus

ab 6 J.

Wandervergnügen und Rodelspaß

Den Blomberg kennt in München und Umgebung fast ein jeder. Schon als kleine Kinder marschierten wir tapfer den breiten Forstweg hinauf zum Blomberghaus, um auf dem Rückweg endlich mit der Sommerrodelbahn ins Tal sausen zu dürfen. Jedes Mal wieder gab es das gleiche Theater: Die Eltern kamen beim steilen Aufstieg ganz schön ins Schwitzen, wurden scheinbar bei jedem Schritt immer langsamer, verratschten sich dann auf der sonnigen Terrasse des Blomberghauses und am Ende stand man wieder mitten in der langen Schlange der Sommerrodelbahn an der Mittelstation des Sesselliftes. Der Forstweg ist geblieben, in den letzten Jahren sind aber mit dem Waldseilgarten, einer zweiten, wetterunabhängigen Alpenrodelbahn und der großen Trampolinsprunganlage tolle Attraktionen für die ganze Familie am Tölzer Hausberg hinzugekommen.

Abenteuer pur im Waldklettergarten und im Blombergblitz (oben).

KURZINFO

Talort: 83646 Bad Tölz, 658 m.
Ausgangspunkt: Großer, kostenloser Parkplatz an der Blombergsesselbahn, rechts und links der B 472, etwa 3 km westlich von Bad Tölz, 710 m (Navi: 83646 Bad Tölz / Am Blomberg 2).
Mit Bahn und Bus: Von München Hbf. (hält auch Donnersberger Brücke und Harras) mit der Bayerischen Oberlandbahn (BOB) im Stundentakt nach Bad Tölz. Vom Bahnhof weiter mit den Buslinien 9612, 9591 oder 9610 bis zur Haltestelle Blombergbahn. In der Regel fahren im Anschluss an die Zugankunft in Bad Tölz Busse in Richtung Blomberg. Informationen zu den Abfahrtzeiten unter www.bayerische-oberlandbahn.de und www.rvo-bus.de.
Gehzeit: 2 Std. (bei Benützung des Sesselliftes bis zur Bergstation und Abfahrt ab Mittelstation mit der Sommerrodelbahn).
Höhenunterschied: 145 m im Aufstieg, 450 m im Abstieg.
Ausrüstung: Gut profilierte Trekkingsandalen oder Bergschuhe.
Anforderungen: Alter: ab 6 Jahren. Leichte Familienwanderung über gut ausgebaute Wege und Bergpfade. Auf der Sommerrodelbahn dürfen Kinder erst ab 8 Jahren selbst fahren.
Bergbahn: Blombergsesselbahn, Sommerbetrieb meist Mitte April bis zum Ende der bayerischen Herbstferien (Anfang Nov.) täglich 9–17 Uhr, Tel. 08041/3726, www.blombergbahn.de. Hinweis: Die Mittelstation wird talwärts mangels Rampe nicht von der Bahn angefahren.
Einkehr: Specker Alm, 1245 m, nur während der Almsaison. Berggasthof Blomberghaus, 1203 m, mit großem Panoramabiergarten, 64 Betten, kein Ruhetag, Tel. 08041/6436, www.blomberghaus.de. Blombergtenne an der Talstation der Blombergbahn, kein Ruhetag, Tel. 08041/5599. Betriebsruhe beider Wirtschaften nach den Herbstferien bis Anfang Dezember, Sommerbetrieb ab ca. Mitte April.
Variante: Von der Bergstation des Sesselliftes wenden wir uns nach links und kommen nach 5 Min. auf dem Kunstwanderweg zu einem Aussichtspunkt mit einigen gemütlichen Bänken am Waldrand. Von hier wandern wir ca. 10 Min. in südlicher Richtung auf einem Kiesweg über die weiten Weideflächen der Wackersbergeralm bis zu einem großen Holzkreuz, 1205 m, von dem aus die bunten Drachenflieger bei Ostwind starten. Weiter geht es in südlicher Richtung bergab in eine Senke und anschließend sofort wieder auf Trittspuren hinauf zum Wiesengipfel des Heiglkopfes, 1218 m, mit großem Holzkreuz, viel Platz zum Picknicken und schöner Aussicht ins Isartal und auf die umliegenden Berge. Rückweg wie Hinweg (insgesamt 60 Min. Gehzeit).
Hinweis: Der Fußweg, der vom rechten Parkplatzrand auf den Blomberg führt, verläuft auf breitem und sehr eintönigem Weg durch den Wald und ist mit Kindern nicht zu empfehlen. Im Winter wird die Strecke als Rodelbahn genutzt, aufgrund der Steilheit des Weges ist diese aber nur für geübte Rodler geeignet.

HIGHLIGHTS

★ Auffahrt zur Bergstation mit der Blombergsesselbahn
★ großer neu errichteter Waldklettergarten gleich neben dem Blomberghaus (hier auch kleiner Spielplatz); Kinder ab 140 cm Körpergröße können alleine klettern, kleinere Kinder ab 6 Jahren in Begleitung zweier Erwachsener; Informationen unter www.kletterwald-blomberg.de
★ rasante Talfahrt von der Mittelstation auf der mit 1250 m längsten Sommerrodelbahn Deutschlands
★ Vergnügungspark an der Talstation mit der modernen, wetterunabhängigen Alpen-Achterbahn »Blomberg-Blitz« (Sommer und Winterbetrieb), großer Trampolinanlage mit Bungee- und Feldertrampolin, Minicarbahn, Kinderkarusell und weiteren Attraktionen – auch den Eichhörnchen Puschel und Hops mit ihrem großen Laufrad kann man einen Besuch abstatten

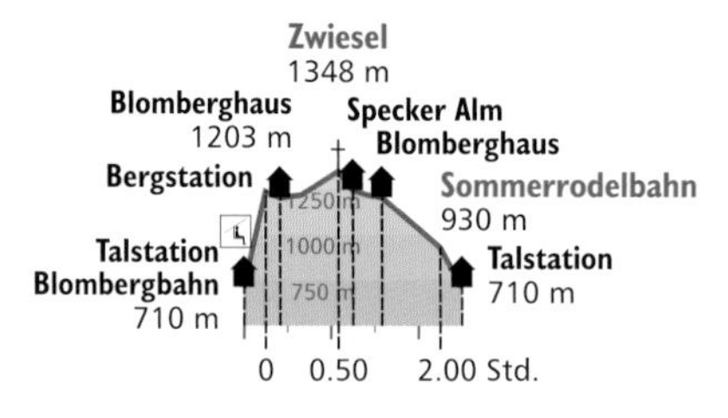

Vom Parkplatz fahren wir mit der **Doppelsesselbahn** ganz hinauf zur 1237 m hoch gelegenen **Bergstation** des Blombergs. Bitte nicht schon an der Rampe der Mittelstation aussteigen, hier verlassen nur diejenigen den Lift, die gleich wieder mit der Sommerrodelbahn hinunterdüsen wollen. Oben angekommen müssen wir uns entscheiden, ob wir nach links in einer halben Stunde in einem leichten Auf und Ab hinüber zum Heiglkopf, 1218 m, wandern (siehe Variante) oder rechts haltend etwas höher hinauf auf den 1348 m messenden Zwiesel steigen wollen. Wir entscheiden uns für die sportlichere Variante nach rechts, wohl wissend, dass man auf der etwas unterhalb des Zwiesels liegenden Specker Alm gemütlich einkehren und sich sein kaltes Weißbier und die Limo schmecken lassen kann. Entlang des abwechslungsreichen **Kunstwanderweges** marschieren wir erst einmal durch Nadelwald ein Stück hinunter und lassen die erste Abzweigung, die zur Waldherralm führt, links liegen. An der nächsten Weggabelung schwenken wir nach links und stehen schon fast vor dem immer gut besuchten **Blomberghaus**, 1203 m, mit dem dahinterliegenden abenteuerlichen **Waldseilgarten**. Wir wandern links vorbei, erreichen nach etwa einem Kilometer den Sattel zwischen Blomberg und Zwiesel (sogenannte **Kotlache**) und biegen hier links ab. Wenige Minuten später zweigt links der unbeschilderte Weg zur Specker Alm ab, auf diesem kommen wir später zurück. Wir wandern indes geradeaus weiter. Zur Freude der Kinder wird jetzt »richtig berggestiegen«, denn nun geht es auf einem schönen Erdweg über den Kammrücken des Zwiesels steil hinauf. Bald wandelt sich der Weg in einen Wiesenweg, hier kann man herrlich barfuß in wenigen Minuten über den fast

HALLO KINDER,

erschreckt jetzt bitte bloß nicht – seit 2008 gibt es auf dem Blomberg entlang des Höhenweges den Kunstwanderweg »Sinneswandel«, der von der Wackersbergeralm bis zum Blomberghaus führt. Über Kunst lässt sich ja bekanntlich streiten, einige der Kunstwerke werden aber auch Euch Kindern Spaß machen: Findet Ihr links oberhalb der Bergstation »Faun«, den Gott der freien Natur, der sich, aus Humus und Waldpflanzen geschaffen, im Wald versteckt hat? An der Wackersbergeralm wartet die »Steinjungfrau« auf Euch und auf dem Weg zum Blomberghaus blickt der »Sternengucker« gen Himmel. »Ruhen und Rasten« könnt Ihr am Blomberghaus auf einer ganz besonderen Bank, nachdem Ihr das »sich erhebende Pferd« ausgiebig beklettert habt. Der Kunstwanderweg wird sich mit der Zeit aber verändern, neue Kunstwerke kommen hinzu, andere werden nicht mehr dabei sein. Im Jahr 2011 ist sogar ein großes Jugendprojekt geplant.

Blick von der Specker Alm zum Wiesengipfel des Zwiesels.

schon englischen Rasen bis zum großen Gipfelkreuz des **Zwiesel** laufen. Wer Glück hat, ergattert noch eine der gemütlichen Sitzbänke. Genauso gut kann man sich aber auch ein Plätzchen auf dem Wiesenhang suchen und von dort die Aussicht ins Isartal, auf die Benediktenwand und vielleicht sogar bis zum Großvenediger in den Hohen Tauern genießen.

Nach der Gipfelrast wandern wir wieder ein Stück zurück und steigen nach rechts in 10 Min. auf einem schönen Erd-/Wiesenweg nach Osten hinunter zur bereits sichtbaren **Specker Alm** (auch als Schnaiter- oder Schnoader Alm bezeichnet), in der wir während der Almzeit einkehren können. Von hier folgen wir dem Schild »Nordic Fitness Park Tölzer Land« nach links zurück zur **Kotlache**, wandern wieder am **Blomberghaus** vorbei und marschieren an der nächsten Weggabelung geradeaus weiter auf dem steilen Forstweg durch den Wald zur **Mittelstation**. Hier kann man sich seinen Rodel abholen, trägt diesen noch ein kleines Stück hinunter, um dann rasant über Deutschlands längste **Sommerrodelbahn** in wenigen Minuten zurück ins Tal zu sausen und dort vielleicht noch das ein oder andere (Kinder-)Highlight auszuprobieren.

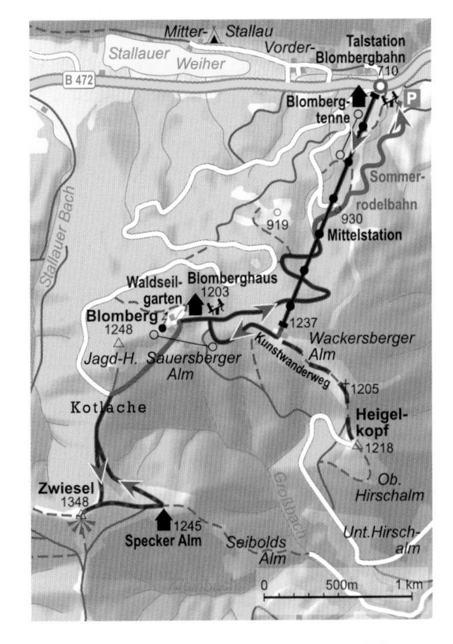

14 Latschenkopf, 1712 m

Auf dem großen Brauneck-Höhenweg ab 8 J.

Kletterfelsen unterm Gipfelkreuz
Tief unten liegt der Wanderweg, der von Lenggries aufs Brauneck führt. Diesen mühsamen, noch dazu recht eintönigen Weg sparen wir uns. Stattdessen schweben wir zur Freude der Kinder mit der Gondel geruhsam nach oben. Unten fährt, einem Spielzeugauto gleich, ein Jeep ins Tal, Kühe stehen und liegen auf der Weide wie zu Hause die kleinen Schleichfiguren auf der gemalten Wiese im Kinderzimmer. Oben wartet eine abwechslungsreiche Tour entlang des großen Höhenwegs auf uns, bei der es viel zu sehen und zu erleben gibt. Unterhalb des Vorderen Kirchsteins erobern die Kinder den Kletterfelsen und können Schafe streicheln, die uns auf unserem Weg zum Gipfel begleiten. Prächtige Aussichten hinüber zur Benediktenwand, üppige Vegetation auf dem Latschenkopf, der seinem Namen wirklich alle Ehre macht, und gleich mehrere bewirtschaftete Hütten am Ende der Tour runden diese schöne Wanderung ab. Zu guter Letzt haben wir unten im Tal die Qual der Wahl: Bleiben wir in der Freizeitarena am Fuße des Braunecks (Streidlhang) mit Hochseilgarten und Alpenzoo oder statten wir dem nur wenige Autominuten entfernten Jaudenhang mit seiner neu errichteten Sommerrodelbahn mit Spielplatz und vielen Tieren einen Besuch ab?

Fantastische Aussicht vom Latschenkopf hinüber zur Benediktenwand.

KURZINFO

Ausgangspunkt: Talstation der Brauneckbahn, 720 m. Mit dem Auto von Bad Tölz auf der B 13 bis Lenggries. Hier der Beschilderung »Brauneck« bis zum Parkplatz an der Bergbahn folgen (Navi: 83661 Lenggries / Gilgenhöfe 28).
Mit der Bahn: Stündliche Zug-Direktverbindung mit der bayerischen Oberlandbahn (BOB) von München Hbf. (hält auch Donnersbergerbrücke und Harras) nach Lenggries. Vom Bahnhof links in die Schützenstraße, dann links über die Isar und wiederum links in die Wegscheider Straße, von der bald rechts die Bergbahnstraße abgeht (25 Min. Fußweg).
Gehzeit: 3.30 Std.
Höhenunterschied: 310 m.
Ausrüstung: Bergschuhe.
Anforderungen: Alter: ab 8 Jahren. Beim felsigen Aufstieg und der Gratwanderung zum Latschenkopf ist Trittsicherheit und Schwindelfreiheit erforderlich. Hier muss man kleinere Kinder stellenweise an die Hand nehmen. Sonst verläuft der Weg überwiegend auf guten Bergsteigen. Bei der Wanderung handelt es sich um eine relativ leichte »schwarze« Tour.
Bergbahn: Brauneckbahn, Sommerbetrieb von Anfang Mai bis Anfang Nov., täglich 8.20–17 Uhr, Tel. 08042/503940, www.brauneck-bergbahn.de.
Einkehr: Panoramarestaurant der Brauneckbergbahn, 1500 m, Tel. 08042/501250, kein Ruhetag. Brauneckhaus, 1540 m, Dienstag Ruhetag, 70 Übernachtungsplätze, Tel. 08042/8786, www.brauneckgipfelhaus.de. Stiealm, 1520 m, kein Ruhetag, 100 Übernachtungsplätze (Zimmer u. Lager), Tel. 08042/2336, www.stiealm.de. Quengeralm, 1440 m, Montag Ruhetag, Übernachtungsmöglichkeit nach Voranmeldung (30 Betten), Tel. 08042/2934, www.quenger-alm.de. Strasseralm, 1435 m, ab Mitte Aug. bis Anfang Nov. bei schönem Wetter, kein Ruhetag, Tel. 8042/3123.
Alle bis auf die Strasseralm haben ganzjährig geöffnet, außer während den Revisionszeiten der Bergbahn (nach Ostern und im November).

Kraxeleinlage am Kletterfelsen.

An der Talstation der Brauneckbahn: Café & Brotzeitstüberl »Alte Mulistation«, Montag bis Freitag bei trockenem Wetter ab 11.30 Uhr, bei Regen ab 16 Uhr geöffnet, Samstag/Sonntag wetterunabhängig ab 10 Uhr, kein Ruhetag, Tel. 08042/5039694, www.alte-mulistation.de.
In Wegscheid: Jaudenstadl, Mai bis Oktober durchgehend geöffnet, Montag und Dienstag ab 13.30 Uhr, Mittwoch bis Sonntag ab 10 Uhr, Mittwoch ab 19 Uhr Grillabend mit Live-Musik, Freitag Spanferkel, kein Ruhetag, Übernachtungsmöglichkeit, Tel. 08042/8601, www.jauden.de.
Tipp: Jedes Jahr findet im Juli ein mittelalterliches Falknerspektaculum und Ritterturnier im Falkenhof statt. Die jeweiligen Daten sind abrufbar unter www.vogeljakob.de/spektaculum. Geboten wird neben der Greifvogelschau und dem Ritterturnier auch ein Mittelaltermarkt mit Musik, Gaukelei, Feuerzauber, Lagerleben, Kinderprogramm uvm. Mittelalterliche Gewandung ist willkommen, aber nicht Pflicht.

HIGHLIGHTS

- ★ Auf- und Abfahrt mit der Gondel
- ★ Startmanöver der Gleitschirm- und Segelflieger am Brauneck
- ★ Heidelbeeren zum Naschen und neugierige Schafe am Gratweg zum Stangeneck
- ★ mehrere Meter hoher Kletterfelsen unterhalb des Vorderen Kirchsteins
- ★ kleiner Kletterfelsen und Schaukeln auf der Stiealm
- ★ »Freizeitarena Brauneck« an der Talstation mit einem Hochseilgarten (www.hochseilgarten-isarwinkel.de), dem Gasthaus »Alte Mulistation« mit Abenteuerspielplatz, Streichelgehege und Bullcart-Bahn sowie dem Alpenwildpark mit einer Greifvogelschau im Falkenhof (www.vogeljakob.de)
- ★ 1,6 km lange, schienengeführte Sommerrodelbahn am Jaudenhang (Wegscheid, nur wenige Autominuten entfernt) mit großem Trampolin und Spielplatz sowie vielen Tieren (u.a. Ziegen, Ponys und Puten), die allerdings nur bestaunt und nicht gestreichelt werden können
- ★ Bademöglichkeit in Lenggries im Erlebnisbad Isarwelle (www.lenggries.de/de/hallenbad-isarwelle)

An der **Bergstation** angekommen, folgen wir der Beschilderung zum Großen Höhenweg und Latschenkopf, die uns den Schotterweg rechts hinauf weist. Nach einem Holzgatter wandern wir in wenigen Minuten hinauf zum **Brauneck-Gipfelkreuz**, 1555 m. Der erste Gipfel ist geschafft, weitere sollen folgen, also wandern wir trotz famoser Aussicht rasch weiter. Oberhalb des Brauneckhauses folgen wir dem Weg links hinunter, beobachten die Startmanöver der Paraglider und staunen zusammen mit den Kindern über das ausgeklügelte System dünner Seile, die den Piloten mit dem Schirm verbinden.

Den **Schrödelstein** umgehen wir auf einem steil hinunterführenden Wegstück über ein paar mit Drahtseilen gesicherte Treppenstufen, die aber keine Gefahr darstellen. An der kommenden Weggabelung mit Schilderbaum halten wir uns rechts, der Weg führt uns nun wieder den Berg hinauf. Kurz darauf versperrt ein Schild mit dem Hinweis auf Lebensgefahr eine Abzweigung. Dieser ehemalige Abstieg hinunter zur

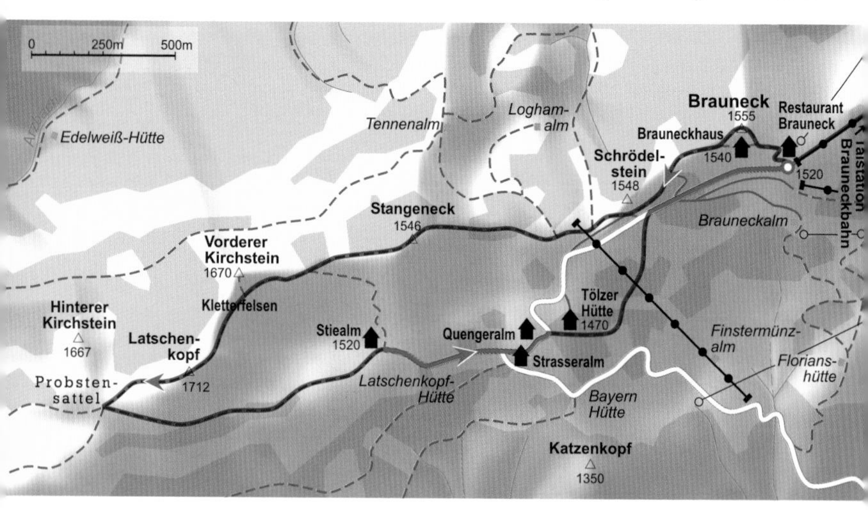

Bayerischer Charme.

Stiealm ist nach Hangrutschen nicht mehr begehbar.
Wir wandern weiter bergauf und stoßen bald auf ein Schild, das bei uns »Trittsicherheit und Schwindelfreiheit« anmahnt. Gleich dahinter wird es felsig und rechts geht es steil hinunter, kleinere Kinder sollte man hier ein kurzes Stück an die Hand nehmen. Dann ist schon das schwierigste Stück der Tour geschafft. Nach einem Gatter und einigen weiteren felsigen Abschnitten wandern wir auf einem herrlichen Wiesengrat mit fantastischem Blick auf den Latschenkopf fast eben weiter, wobei wir auch an zwei Gedenktafeln für Wanderer vorbeikommen, die hier vom Blitz erschlagen wurden.
Am **Stangeneck** angekommen blicken wir zurück und staunen über die Entfernung, die wir bereits zurückgelegt haben: Das Brauneckhaus ist winzig, die Gleitschirme nur noch farbenfrohe Tupfen und die Aussicht grandios. Von der nächsten Einsattelung aus sind tief unter uns die Häuser der Stiealm zu sehen. Bald erreichen wir den großen Kletterfelsen unterhalb des Vorderen Kirchsteins, den die Kinder sofort erobern, während die Erwachsenen auf dem kleinen Felsen davor – die imposante Benediktenwand direkt vor Augen – schon einmal eine kleine Stärkung auspacken können. Wer will, macht schnell noch einen kleinen Abstecher nach rechts zum **Vorderen Kirchstein**, dann geht es weiter – begleitet von Schafen – zum im Jahr 2009 neu errichteten Holzkreuz des **Latschenkopfes**, 1712 m, an

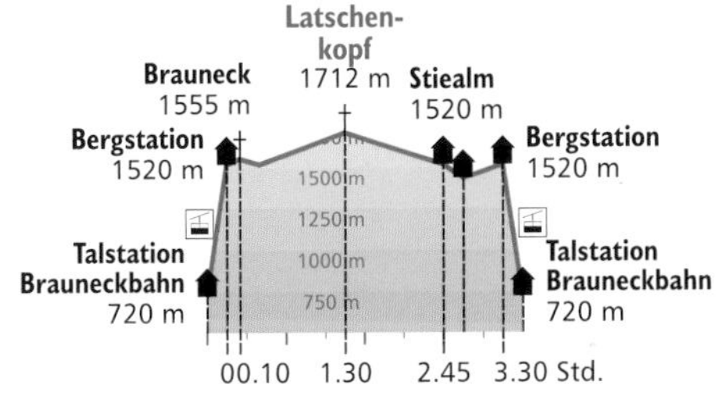

HALLO KINDER,

am Latschenkopf wachsen – wie könnte es anders sein – viele Latschenkiefern auf den Berghängen. Diese Nadelgewächse sind wahre Überlebenskünstler im Gebirge. Aufgrund ihres gedrungenen Wuchses können sie sich auch dort erfolgreich ansiedeln, wo größere Bäume nicht mehr bestehen können. Dank ihrer Biegsamkeit machen ihnen selbst Stürme und Lawinen nichts aus. Sie besitzen bis zu 5 cm lange, spitze, dunkelgrüne Nadeln, aus denen man zusammen mit den Zweigspitzen und kleinen Ästen Latschenkiefernöl gewinnen kann. Das Öl wirkt sich zum Beispiel wohltuend auf die Atemwege aus und eignet sich als Badezusatz bei Erkältungen.

Nehmt Euch eine Kiefernadel, zerbrecht sie und zerreibt sie in Euren Händen – dann atmet ganz tief durch die Nase ein, so könnt Ihr den angenehmen Duft riechen.

dem man die fantastische Aussicht genießen und gemütlich rasten kann. Anders als am Brauneck hat hier der Mensch noch nicht so viele Spuren hinterlassen.

Nach der Brotzeit wandern wir weiter Richtung Benediktenwand, der felsige Pfad führt nun längere Zeit zum Teil steil hinab. Wir tauchen ein in eine schroffe Felslandschaft und in das satte Grün zahlreicher Latschen, an deren Wurzeln und Zweigen wir uns gut festhalten können. An einigen Bäumchen lässt sich gut ablesen, aus welcher Richtung der Wind hier oben bläst.

Nach etwa 40 Min. Abstieg kommen wir zu einem natürlich gewachsenen Torbogen aus Fels und Latschen, gehen hindurch und erreichen den **Probstensattel** mit seinem Schilderbaum. Im spitzen Winkel geht es nun weiter, den Latschenkopf querend, in einer guten halben Stunde hinunter zur **Stiealm**, 1520 m. Wer möchte, kehrt hier bereits ein und lässt sich den herzhaften Almkäse, den man auch mit nach Hause nehmen kann, oder eines der leckeren warmen Gerichte schmecken. Wandert man auf dem Weg zur Gondelbahn noch etwa 15 Min. den breiten Fahrweg hinab, gelangt man zu den beiden wesentlich kleineren – und gemütlicheren – Almwirtschaften **Strasseralm** und der gleich darüberliegenden **Quengeralm**, beide mit sonniger Terrasse und herrlichem Blick in die Berge. Möchte man hier zum Essen einkehren, sollte man bedenken, dass beide Hütten gegen 16 Uhr bereits schließen. Bei der Wirtin auf der Strasseralm ist aber ein Eis für die kleinen Wanderer auch um diese Uhrzeit noch drin.

Der Weg zur Gondel führt nun rechts an der Quengeralm vorbei und steil hinauf. An der kurz hinter der Alm liegenden Weggabelung weist das Schild »Brauneckbergbahn« nach rechts in einen schmalen Pfad. Nach einem kleinen Wäldchen und der Überquerung einer Kuhweide stoßen wir auf den fast ebenen Panoramaweg, der uns schnell zurück zur **Bergstation** führt.

Auf dem Gratweg zum Latschenkopf – rechts der Vordere Kirchstein.

15 Sonntraten, 1096 m

Von Grundnern

ab 6 J.

Sonnige Familienwanderung überm Isartal

Die Sonntraten liegt im malerischen Isarwinkel, der von Bad Tölz bis zum Sylvensteinspeicher reicht. Hier gibt es noch urbayerische Dörfer wie Wackersberg oder Gaißach, die wunderschön in die alte Kulturlandschaft mit ihren sattgrünen Bauernwiesen eingebettet sind. Im Sommer sind die Bergweiden mit Blumen überzogen, von allen Seiten erfreuen die Kuhglocken das Ohr und überall herrscht Ruhe und Beschaulichkeit, sodass man schon einmal glauben mag, dass hier die Zeit stehen geblieben ist. Für diese Schönheit sind auch die Kinder empfänglich. Nach jeder Wegbiegung gibt es etwas Neues zu entdecken, sei es ein moosbewachsener Baum, ein kleiner Bach oder ein ausgehöhlter Baumstumpf, in den man hineinsteigen kann. Diese kurze Tour über sonnige Berghänge, bei der man von der Gipfelwiese eine herrliche Aussicht in die Berge hat, ist ein schöner Ausflug für die ganze Familie, der sich besonders im Frühjahr oder Herbst anbietet, wenn auf den »richtigen« Bergen noch oder schon Schnee liegt. Hier können die Kinder ihre ersten Bergerfahrungen sammeln und die neuen Wanderstiefel einlaufen, bevor es dann bei der nächsten Wanderung ein Stück höher hinaufgeht.

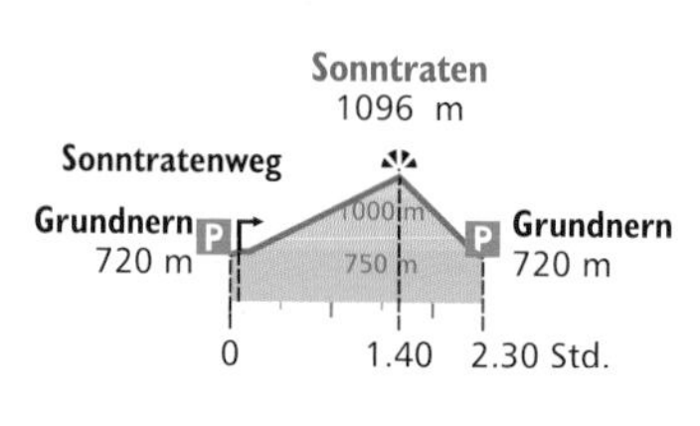

Alpenpanorama – links der kegelige Juifen.

KURZINFO

Talort: 83674 Gaißach, 735 m.
Ausgangspunkt: Wanderparkplatz Grundnern, 720 m, gebührenplichtig ab 0.50 €/3 Std. Von Bad Tölz auf der B 13 Richtung Lenggries, kurz nach dem Ortsendeschild von Bad Tölz links abbiegen (Beschilderung »Gaißach«) und kurz darauf die zweite Straße links Richtung »Gaißach-Dorf, Mühl« nehmen. Im Gaißacher Ortsteil Mühl(e) rechts Richtung »Grundnern/Unterberg« und nach 3 km in Grundnern auf der rechten Seite zum großen Parkplatz (Navi: N47.712736 / E11.588087).
Gehzeit: 2.30 Std.
Höhenunterschied: 380 m.
Ausrüstung: Gut profilierte Trekkingsandalen oder Bergschuhe.
Anforderungen: Alter: ab 6 Jahren. Einfache Familienwanderung auf gut begehbaren Alm- und Bergwegen.
Einkehr: Unterwegs keine. Nach der Wanderung Einkehrmöglichkeit in Gaißach, z. B. im denkmalgeschützten Landgasthof Zachschuster mit Schaukel, Dienstag Ruhetag, Mittwoch ab 17 Uhr geöffnet, Lenggrieser Straße 48, Tel. 08041/9211.

HIGHLIGHTS

★ Kühe auf den Almweiden (während der Almsaison)
★ abwechslungsreiche Route mit vielen Zaundurchlässen, Baumstümpfen zum Drauf- und Hineinklettern und einem Treppenweg
★ je nach Saison Walderdbeeren, Himbeeren oder Brombeeren zum Naschen oder Sammeln am Wegesrand
★ viel Platz zum Spielen und Toben auf der weiten Gipfelwiese, an einem kleinen Bach beim Abstieg und auf dem Wegstück der Variante

Variante: »Geheimtipp« für den Aufstieg: An der untersten Weggabelung nicht den Sonntratenweg, sondern den Sonntratensteig geradeaus hinaufgehen. Nach wenigen Minuten, an der Stelle, an der der Bach von rechts kommt, noch unterhalb eines weiteren Schildes »Sonntratensteig«, nach rechts durch das Weidegatter am Bach entlang, rechts am Stadl vorbei, über die Weide und nun schräg hinauf auf ein Türl im Zaun zu. Dieses passieren und nach rechts auf dem Wiesenweg weiter, bis wir wieder auf die als Anstiegsweg beschriebene Route treffen.

Am südöstlichen Ende des großen **Parkplatzes** überqueren wir die Straße und wandern auf einem breiten Weg (Beschilderung »Sonntratensteig«) bis zu einer Verzweigung. Geradeaus führt der Sonntratensteig hinauf (von hier kommen wir auf dem Rückweg), wir schwenken aber nach rechts in den **Sonntratenweg** (Hinweis: Im Sommer können die Schilder auch schon mal zugewachsen sein!) und marschieren auf Schotter etwa 500 m kaum ansteigend weiter, bis links ein breiter Weg abzweigt. In diesen biegen wir ein und können so die Tour über einen herrlichen Almweg abkürzen. Hier wandern nicht nur die Einheimischen hinauf, an schönen Frühjahrs- oder Herbsttagen wird man mit Sicherheit auch dem einen oder anderen Ausflügler begegnen. Wir folgen dem Weg ein paar Minuten, gehen an einem Stacheldrahtzaun links durch einen auf den ersten Blick nicht zu erkennenden Zaun-

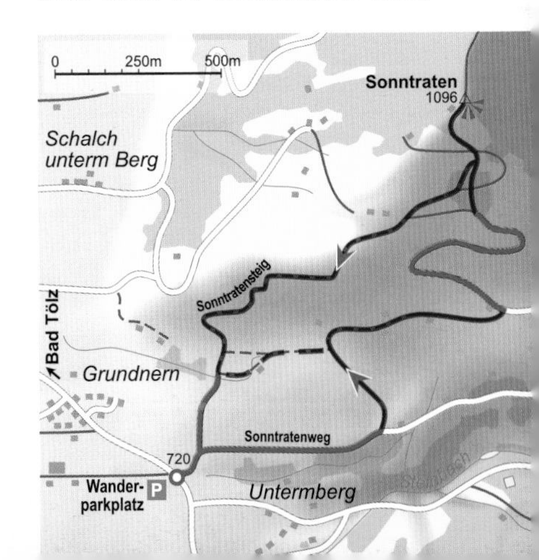

Wanderspaß auf dem Wiesenpfad der Variante.

durchlass und treffen hier auf diejenigen, die den in der Variante beschriebenen Weg genommen haben. Nun geradeaus weiter hinauf, dann zieht der Pfad nach rechts. Zur Freude der Kinder geht es noch durch einige Zaundurchlässe. An einer windschiefen verfallenden **Hütte** weidet im Sommer das Vieh, im zeitigen Frühjahr und im Herbst ist der Durchgang aber nach links offen, sodass man sich die Schleife außen herum sparen kann. Wieder auf dem Weg folgen wir diesem, bis wir an einer ebenen Stelle rechts auf den Rand eines dichten Waldes treffen. Hier gehen wir noch etwa 5 m weiter, passieren einen Weidezaun und steigen dann die mit Holz befestigten Stufen nach rechts in den Wald steil hinauf. Wir stoßen auf einen Waldweg, halten uns rechts und verlassen den Weg kurz vor dem Waldende wieder nach links oben. Nun wandern wir auf einem steilen Waldpfad auf natürlichem Waldboden und kommen bald wieder in die Sonne. Die letzten 100 m zum höchsten Punkt auf dem gestuften Weg sind schnell geschafft und auf der **Sonntraten**, 1096 m, erwartet uns eine sonnige Aussichtskuppe mit einer privaten, unbewirtschafteten Hütte, die Sitzgelegenheit für eine Handvoll Wanderer bietet. Von der großen Gipfelwiese genießen wir den schönen Blick ins Isartal. Im Süden erhebt sich der mächtige, kegelige Juifen, daneben das Demmeljoch und das Karwendelgebirge, während im Südwesten die imposante Benediktenwand grüßt.

Für den Abstieg wandern wir wieder hinunter bis zum Wald, in diesen hinein und steigen nun über den **Sonntratensteig** ab, wozu wir uns an der ersten Verzweigung im Wald (unbeschildert) rechts halten müssen. So gelangen wir bald zu einer gemütlichen Bank und einem wunderschönen Wiesenrücken. So schnell kann man gar nicht schauen, wie hier die Kinder auf dem flach abfallenden Weg an einem vorbeigerauscht sind. Wir gehen weiter in westlicher Richtung, springen auf einem schmaleren Weg ein paar Stufen hinunter und kommen wieder auf eine Wiesenfläche mit

Spielpause am Baumstumpf.

einem großen, zum Spielen einladenden Baumstupf. Kurze Zeit später passieren wir auf einem aufgeschotterten Steig (Rutschgefahr!) einen Zaundurchlass am Rand der Weide. Dann wandern wir in vielen kleinen Serpentinen steil auf erdigem Weg hinunter, bis der Weg breiter wird und wir auf die Verzweigung stoßen, an der wir auf dem Hinweg den Sonntratenweg eingeschlagen haben. Von hier erreichen wir in 5 Min. wieder den **Parkplatz**.

HALLO KINDER,

die Sonntraten erwandert Ihr auf einem Weg, den hauptsächlich die Einheimischen zu kennen scheinen, ist doch der Weg auf keiner gängigen Karte richtig verzeichnet – was natürlich nicht für dieses Buch gilt. Während einige Berge ein Gipfelkreuz zu viel haben, wie zum Beispiel der Pendling (Tour 27) und das Kranzhorn (Tour 30), kam anscheinend noch niemand auf die Idee, den Gipfel der Sonntraten mit einem Kreuz zu schmücken. Ob das daran liegt, dass sich die Leute hier noch nicht einmal über den Namen einig sind? Bei einigen ist der Berg die Sunndraht, andere sagen Schürfenkopf dazu und ich kenne den Berg als Sonntraten. Vielleicht sollte man deshalb gleich drei Gipfelkreuze aufstellen, das wäre dann ein neuer Rekord. Was meint Ihr?

16 Hochalm, 1428 m

Über die Hölleialm **ab 8 J.**

Traumtour mit Bachtrekking

Die Wanderung vom Sylvensteinspeicher zur Hochalm zählt zu den schönsten und abwechslungsreichsten Touren, die die bayerischen Voralpen zu bieten haben. Obwohl man mit der Höllei-, der Mitter- und der Hochalm gleich drei Almen erwandert, gibt es lediglich an der Mitterhütte zur Almzeit Getränke zu kaufen, ansonsten muss man sich selbst verpflegen. Das hat den Vorteil, dass diese Traumtour, die längst kein Geheimtipp mehr ist, noch nicht so überlaufen ist wie manch anderes Ziel in den Münchner Bergen. Am Ende der Tour warten die sehenswerten Gumpen des Gerstenrieder Grabens auf die Erkundung durch die kleinen Wanderer und im Sommer lockt nicht nur die Kinder eine Abkühlung in dem kühlen Gebirgsbach.

KURZINFO

Talort: 83661 Lenggries, 679 m.
Ausgangspunkt: Wanderparkplatz an der B 307, 790 m, ca. 750 m nach dem Ostende des Sylvensteinsees. Über Bad Tölz und Lenggries auf der B 13 zum Sylvensteinspeicher, nach links über die Staumauer und auf der B 307 Richtung Achenpass. Etwa 3,7 km nach der Staumauer links zum Parkplatz (Navi: N47.583455 / E11.597416).
Gehzeit: 4.40 Std. 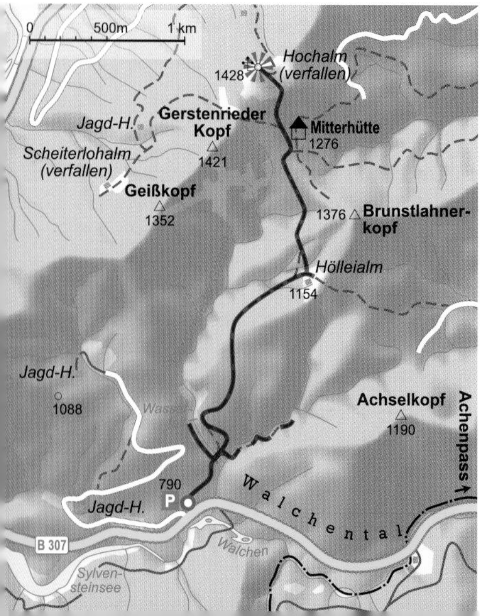
Höhenunterschied: 660 m.
Ausrüstung: Bergschuhe, Badesachen und Wechselkleidung.
Anforderungen: Alter: ab 8 Jahren. Überwiegend auf guten Bergwegen, auf dem schmalen Pfad von der Hölleialm zur Mitterhütte ist Trittsicherheit erforderlich, der Gipfelanstieg erfolgt über einen felsigen Bergsteig und Almwiesen.
Einkehr: Getränke während der Almsaison auf der Mitterhütte, 1276 m.
Variante: Abenteuerlustige Familien können auch von der Hölleialm kommend direkt vor der Steinbrücke nach links abwärts den Bach erkunden. Ob mit Wanderschuhen, Trekkingsandalen oder barfuß geht es erst einmal ein Stück durch das Bachbett hinunter, bis von links ein anderer Bach mündet. Diesen kann man nun hinaufwandern, bei schwierigeren Stellen gibt es fast immer rechts oder links des Baches eine Umgehungsmöglichkeit. Ein echtes kleines Abenteuer mit einigen schönen Picknickstellen und Badegumpen.

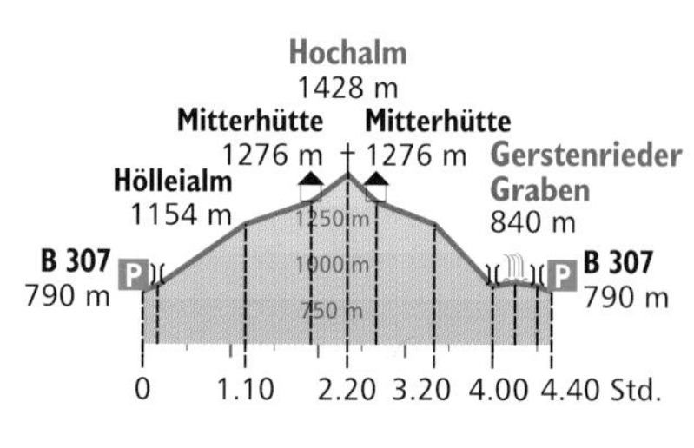

Almidylle an der Hölleialm – links der Juifen, rechts Zoten- und Demeljoch.

Vom Ostende des **Parkplatzes** folgen wir auf dem steinigen, für Fahrzeuge gesperrten Weg der Ausschilderung zur Hochalm und erreichen nach 10 Min. den tief eingeschnittenen **Gerstenrieder Graben**. Wir überqueren den Bach auf einer Steinbrücke, wählen den rechten, kleineren Pfad, der aber schon nach kurzer Zeit wieder auf den anderen Weg trifft, und wandern auf dem bald schmaler werdenden Pfad steil bergan. Nach kurzer Zeit wird das Gelände flacher und wir marschieren über den breiten Südrücken auf einem bald erdigen, bald steinigen Bergweg durch Jungwald bequem weiter. Der alte, ausgewaschene Steig wird nun wieder steiler und schlängelt sich in Serpentinen einen Hang hinauf. Wir passieren einen kleinen, eiskalten Gebirgsbach und gelangen auf einen freien Rücken. Die Beschilderung lässt in diesem Bereich leider zu wünschen übrig, wir orientieren uns daher an dem bald auftauchenden Schild »Haltet die Berge sauber« und wissen, dass wir uns nun kurz unterhalb der Hölleialm befinden. Links über die Almfläche ginge es hier direkt zur Hochalm, wir aber gehen nun noch ein paar Meter geradeaus weiter, halten uns dann rechts und erreichen nach wenigen Minuten die auf einer Hangschulter etwas versteckt liegende **Hölleialm**, 1154 m, mit ihrer sagenumwobenen, uralten Esche. Uns erwartet ein wunderschöner, wenig bekannter Platz, der sich herrlich zum Picknicken, zum Herumtoben und Spielen eignet. Wer gern mit seiner Familie windgeschützt sitzt, der findet auf der traufseitig gelegenen, sehr geräumigen Wandbank der Hütte ein optimales Plätzchen mit einer beeindruckenden Aussicht auf den imposanten Juifen, das Zoten- und das Demeljoch. Weit unten kann man

Blick von der Hochalm auf die sich durchs Land schlängelnde Isar.

auch den Sylvensteinstausee zwischen den Bäumen ausmachen.
Nach einer Pause gehen wir an der Esche vorbei ein Stück zurück, wandern nun aber auf dem unbeschilderten, deutlichen Pfad in nördlicher Richtung weiter. Wir steigen über einen Bach und queren auf bisweilen feuchtem Boden (Rutschgefahr!) die nächste Dreiviertelstunde auf einem insgesamt leicht ansteigenden Höhenweg eine Südwestflanke. Hier ist etwas Trittsicherheit erforderlich, zumal es auf der linken Seite steil hinuntergeht. Kurz vor der **Mitteralm** steigt der Weg kräftig an, da kommt es sehr gelegen, dass die Sennerin den durstigen Wanderern zur Almzeit kühle Getränke an der urigen **Mitterhütte**, 1276 m, anbietet.
Von hier wandern wir auf einem felsigen und wurzeligen Pfad durch lichten Wald noch einmal steil bergan, dann betreten wir die weiten Wiesen der Hochalm und können nun barfuß weiterlaufen, wenn wir wollen. Wir kommen an den verfallenen Grundmauern der Almhütte

HIGHLIGHTS

- ★weidende Kühe auf der Hoch- und Mitteralm zur Almsaison
- ★viel Platz zum Picknicken und Toben auf den Wiesen der Hölleialm und am Gipfel
- ★Bachtrekking im Gerstenrieder Graben – ein von der Natur selbst erschaffener Wasserspielplatz mit schönen Badegumpen und kleinen Kletterpartien, die das Herz eines jeden kleinen Abenteurers höher schlagen lassen
- ★Wasserfall am Ende der Tour – im Sommer meist nur ein kleines Rinnsaal, nach Regenfällen und während der Schneeschmelze aber sehr beeindruckend
- ★spannendes Bachtrekking auch auf dem als Variante beschriebenen Weg

vorbei und stehen nach 2.20 Std. Gesamtgehzeit am Gipfelkreuz der **Hochalm**, 1428 m. Hier oben kann man nur noch staunen: Im Norden liegt uns das Isartal zu Füßen, wunderschön sieht man, wie sich die Isar zwischen den Bergketten als grünes Band nach Lenggries und Bad Tölz schlängelt. Dreht man sich um, verschlägt es einem glatt die Sprache: Vom Gipfelplateau hat man einen atemberaubenden Rundumblick auf unzählige Berge, im Osten grüßt das felsige Brüderpaar Roß- und Buchstein, im Nordwesten die schroffe Benediktenwand, dazwischen reihen sich die Blauberge, das Rofan-, Karwendel-, Wetterstein- und Estergebirge auf. Eine fantastische Aussicht, die ihresgleichen sucht!
Vorsicht: Die Almwiese bricht zum Isartal in Nähe des Kreuzes mehrere hundert Meter steil ab.

Der Abstieg verläuft auf der Aufstiegsroute. Fast unten an der Steinbrücke erwartet uns aber noch ein toller Abstecher zu den Gumpen und dem Wasserfall im **Gerstenrieder Graben**. Hierzu wandern wir direkt nach der Überquerung der kleinen Steinbrücke (gegenüber des Holzpfahls) nach rechts in den kleinen Pfad, der uns schon bald in das flache Bachbett führt. Bei niedrigem Wasserstand kann man aber auch schon vor der Brücke nach rechts direkt durch das felsige Bachbett aufsteigen. Am meisten Spaß macht es, wenn man nun barfuß weitergeht. Bitte Obacht geben, die stellenweise im Bachbett und an feuchten Stellen am Fels vorkommenden Algen machen die Steine rutschig. In einigen tieferen Gumpen kann man im Sommer ein erfrischendes – und gesundes – Bad in dem honigfarbenen Wasser neh-

»Wasserspielplatz« im Gerstenrieder Graben.

Topfartige Gumpen – im Sommer eine willkommene Erfrischung.

men. Die Färbung wird von der in der Naturheilkunde zur Körperentgiftung und zur Stärkung der körpereigenen Abwehr geschätzten Huminsäure hervorgerufen, die aus den höher gelegenen Feuchtgebieten stammt.

Vorbei an einem kleinen Wasserfall erreicht man nach wenigen Minuten den abschließenden, nach starken Regenfällen und während der Schneeschmelze beeindruckenden **Wasserfall**, der aus mehreren Metern Höhe hinabstürzt.

HALLO KINDER,

die topfartigen Löcher im Bachverlauf nennt man Gumpen. Wisst Ihr, wie diese Gumpen entstanden sind? Ihr kennt sicher das Sprichwort »steter Tropfen höhlt den Stein«. Das Wasser des Baches fällt tagaus, tagein, viele tausend Jahre lang immer auf dieselbe Stelle im Fels und wäscht ihn auf diese Weise ganz langsam aus. In der so entstandenen Mulde kommt es nun durch das herabstürzende Wasser zu Wasserverwirbelungen, die auch an den Rändern der Mulde nagen. Nicht selten entstehen so fast runde, beckenartige Strudeltöpfe, in denen man sich im Sommer herrlich abkühlen kann. In der Erwachsenensprache sagt man, der Fels ist erodiert. Dieses Fremdwort kommt vom lateinischen Wort »erodere«, was »abnagen« heißt. Die Erwachsenen sagen also auch nichts anderes, als Ihr eh schon wisst, drücken das aber viel komplizierter aus. Bei dem Bach, den wir heute im Gerstenrieder Graben erkunden, sind sogar mehrere solcher Gumpen hintereinander entstanden, deshalb spricht man hier von einem Kaskadenbach.

Zur Gaisalm und nach Pertisau

Von Achenkirch (Scholastika) ab 8 J.

Schifffahrt übers Tiroler Meer

In luftiger Höhe führt uns der Gaisalmsteig an den steilen Kalksteinwänden über dem Westufer des Achensees entlang zur Gaisalm, der einzigen Alm Europas, die nur zu Fuß oder mit einem Schiff erreichbar ist. Einzigartig sind bei dieser schönen Familienwanderung die Tiefblicke auf das je nach Sonneneinstrahlung von türkis über smaragdgrün bis tiefblau schimmernde Tiroler Meer, wie der Achensee aufgrund seiner Größe (719 ha) auch genannt wird. Die Vegetation mit kleinen Latschenkiefernbäumchen, sattgrünen Farnen und fleischfressenden Pflanzen und Orchideen tut ihr Übriges, sodass man sich nicht knapp hinter der deutsch-österreichischen Grenze, sondern im tiefsten Süden wähnt. Die Kinder freuen sich über den großen Spielplatz an der malerisch gelegenen Gaisalm, und hier müssen wir uns entscheiden, ob wir direkt von der Alm wieder mit dem Schiff zurückfahren oder über den Mariensteig weiter nach Pertisau wandern, um von dort über das Wasser zurück zum Ausgangspunkt zu gelangen.

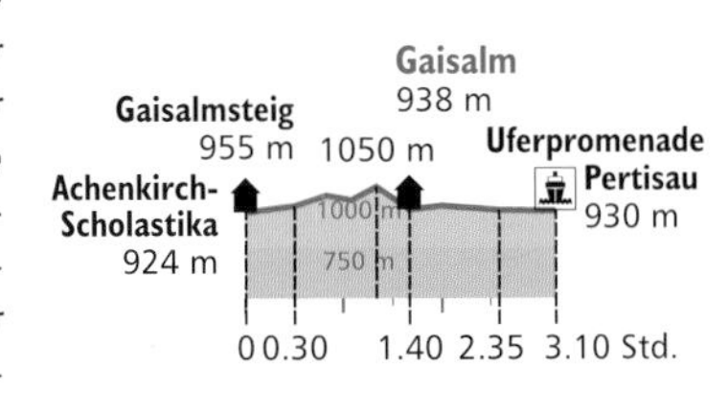

Viele Stufen führen hinunter zur Gaisalm.

KURZINFO

Ausgangspunkt: Parkplatz an der Schiffsanlegestelle Scholastika, 924 m. Vom Achenpass kommend von der B 181 am Ende von Achenkirch nach rechts zum Achensee abfahren und links zur Schiffsanlegestelle (Navi: A-6215 Achenkirch / Achenkirch 12).
Gehzeit: 3.10 Std.
Höhenunterschied: 200 m.
Ausrüstung: Bergschuhe, Badesachen.
Anforderungen: Alter: ab 8 Jahren. Für Gaisalmsteig und Mariensteig ist Trittsicherheit und Schwindelfreiheit erforderlich, der Steig fällt zum See steil ab. Stellenweise Seilsicherungen, jüngere Kinder müssen an einigen Stellen an die Hand genommen oder mit kurzem Seil gesichert werden. Kinder anweisen, sich ausschließlich auf der Bergseite des Weges fortzubewegen. Bei der Wanderung handelt es sich um eine eher leichte »schwarze« Tour.
Einkehr: Gaisalm, 938 m, Selbstbedienung, Tel. 0043/5243/52530. Einkehrmöglichkeiten auch bei der Schiffsanlegestelle Scholastika und in Pertisau.
Schifffahrt: Achenseeschifffahrt, Rückfahrt in der Hauptsaison stündlich ab Gaisalm und Pertisau, letztes Schiff ab Pertisau um 17.15 Uhr (Vor- und Nachsaison 16.15 Uhr), Fahrplan unter www.tirol-schiffahrt.at.

HIGHLIGHTS

★ abwechslungsreicher, spannender Ufersteig direkt über dem Achensee
★ Spielplatz an der Gaisalm mit Vogelnestschaukel, Rutsche und Wippe
★ Bademöglichkeiten im Strandbad Pertisau mit Piratenschiff und Wasserrutsche und in der Badebucht von Achenkirch
★ Steinöl-Erlebnismuseum Vitalberg in Pertisau mit Audioführung (35 Min); gezeigt wird die Geschichte des brennenden Ölsteins und ein funktionstüchtiges Modell einer Schwelanlage, bei der man live miterleben kann, wie aus hartem Stein das flüssige Gold rinnt.
Öffnungszeiten: Montag bis Sonntag 9–17 Uhr, Erwachsene 5 €, Kinder bis 12 Jahre in Begleitung eines Erwachsenen frei, Tel. 0043/5243/20186, www.steinoel.at.
★ Schifffahrt zurück über den Achensee nach Achenkirch

Vom **Parkplatz** gehen wir auf der Seepromenade wieder ein Stück zurück, laufen links über die künstlich angelegte Landzunge, durch die vom Achensee eine kleine Badebucht abgetrennt wurde, anschließend ein kleines Stück den Schotterweg am See entlang und gelangen so zu einer Wandertafel. Das Schild »Gaisalm 1 h / Pertisau 2 h« mit viel zu kurzen Zeitangaben weist uns den Weg. Wir laufen – den See im Rücken – rechts an dem **Campingplatz** vorbei, passieren bald ein Tor und wenden uns nach rechts. Wenige Minuten später er-

Hier heißt's hintereinandergehen.

Der Bergsteig schlängelt sich direkt am Steilufer des Achensees entlang.

reichen wir eine schmale Teerstraße, halten uns hier links, biegen aber nach ein paar Schritten gleich wieder in den kleinen Parkplatz zu unserer Rechten ein. In dessen Mitte führt links ein Weg durch ein meist ausgetrocknetes Bachbett auf zwei Häuser zu. Diese lassen wir links liegen und folgen dem Weg und der grünen Beschilderung nach rechts. An der nächsten Weggabelung wenden wir uns nach links und wandern auf den Achensee mit seinem klaren Wasser, das fast Trinkwasserqualität aufweist, und die dahinterliegenden Bergen zu, bis wir auf Seehöhe an ein Drehkreuz kommen. Ein großes Schild weist uns darauf hin, dass hier der **Gaisalmsteig** beginnt, dessen Begehung bei Frost, Eis, Schnee und Unwetter lebensgefährlich und daher verboten ist. In beständigem Auf und Ab wandern wir nun über Felsen, Stufen und Bäche auf dem in den Fels geschlagenen Steig hoch über dem Achensee entlang. Es ist ratsam, die Kinder darauf hinzuweisen, sich nur auf der Innenseite des Steiges (zum Berg hin) fortzubewegen, und die Kleineren stellenweise an die Hand zu nehmen. Immer wieder staunen wir über die landschaftliche Romantik, machen vielleicht auf einem Pfad einen Abstecher hinunter zum See, erklimmen die größeren Steigungen über Stufen, legen an einem Bach eine Verschnauf- und Spielpause ein und erblicken schließlich von der höchsten Stelle unser erstes Etappenziel: die auf einem Schwemmkegel gelegene Gaisalm. Nach ein paar Drahtseilsicherungen, die eher die Funktion eines Handlaufs erfüllen, und einer schmalen Holzbrücke erreichen wir schließlich eine steile, gut gesicherte Treppe, die uns hinunter zum

Ufer des Achensees und zur **Gaisalm**, 938 m, führt. Die Kinder stürmen begeistert den Spielplatz, während sich die Eltern im Selbstbedienungsrestaurant schon einmal um das leibliche Wohl kümmern. Möchte man nicht in der Gaisalm einkehren, bieten nicht nur ihre Wiesen,

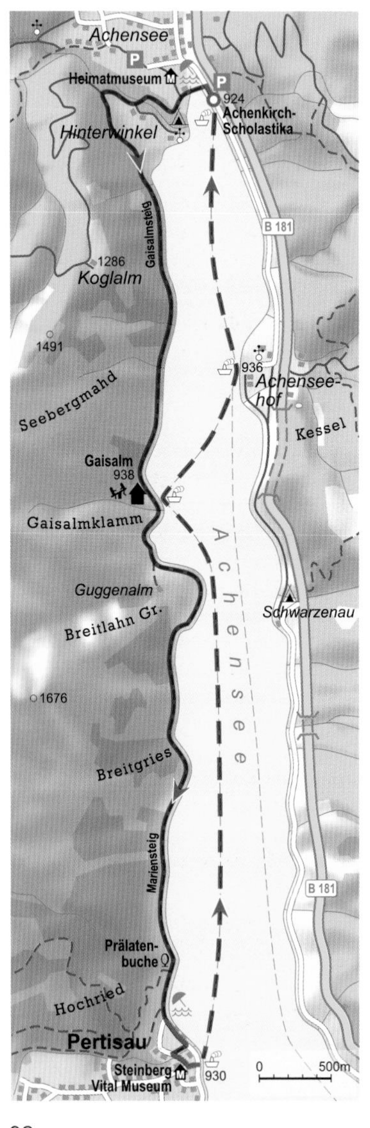

sondern auch ein versteckt liegender, von der Schiffsanlegestelle aus zu erreichender und mit Bänken gesäumter, befestigter Uferweg ein lauschiges Plätzchen zum Rasten.

Nach der Pause wandern wir nun auf dem etwas leichteren **Mariensteig** über Wurzelwege und Schotter in Richtung Pertisau. Nach kurzer Zeit überqueren wir das **Breitlahngries**, eine riesige Schotterreisen von hoch droben aus dem Karwendelgebirge, die sogar von der Achenseestraße auf der gegenüberliegenden Seeseite gut zu sehen ist und uns wieder einmal eindrucksvoll die Kraft der Natur präsentiert. Auch auf dem Mariensteig gibt es ein paar harmlose Drahtseilsicherungen. Wir ziehen unter einem Wasserfall die Köpfe ein, da das über den Steig gespannte Blechdach schon nicht mehr ganz dicht ist, und erspähen bald schon von Weitem die Fahnenstangen im Hafen von Pertisau. Den Mariensteig verlassen wir so, wie wir den Gaisalmsteig betreten haben: durch ein Drehkreuz.

Die letzten 35 Min. legen wir auf einem breiten Uferweg direkt am Achensee zurück, kommen am Strandbad von **Pertisau** vorbei, folgen dem Wegverlauf der Straße nach rechts, biegen bei der nächsten Möglichkeit links ab und schon sehen wir zu unserer Linken den Hafen. Sofern wir vor der Abfahrt des letzten Bootes noch Zeit haben, empfiehlt es sich, nach rechts auf die blau schimmernde große Glaspyramide zuzusteuern, in der das **Steinöl-Erlebnismuseum** zu Hause ist. Als Sahnebonbon für die Kinder beschließen wir unsere wunderschöne Tour mit der **Schifffahrt** über den Achensee zurück zur Anlegestelle Scholastika.

Mit Spannung erwartetes Finale – mit dem Schiff geht es zurück nach Scholastika.

HALLO KINDER,

kann man aus Steinen Öl herausquetschen? Nein, es sei denn, man hat einen ganz besonderen Stein, einen Ölstein, wie man ihn in der Nähe der Gaisalm findet. Aber auch dieser Stein wird nicht ausgedrückt, sondern man wendet einen ganz anderen Trick an, um an das kostbare Öl zu kommen, das ein vielfältiges Naturheilmittel ist. Aber wie ist der Ölstein überhaupt entstanden? Vor rund 180 Millionen Jahren war ganz Europa vom Urmeer bedeckt. Auf dem Grund des Meeres bildete sich eine Schicht aus abgestorbenen Tieren und Pflanzen. Diese Schicht wurde nach dem Austrocknen des Meeres durch zahlreiche weitere Ablagerungen bedeckt. Dadurch entstand ein enorm hoher Druck auf die unteren Schichten, durch den sich die abgestorbenen Lebewesen in Öl und die anderen Ablagerungen in geschichtete Steine verwandelten, die nun das Öl einschlossen. Der Ölschiefer entstand.

Um das »schwarze Gold vom Achensee« gewinnen zu können, wird der zerkleinerte Schiefer auf 450 Grad erhitzt. Das durch die große Hitze freigesetzte, gasförmig gewordene Öl wird aufgefangen und anschließend wieder abgekühlt. Dadurch wird das Gas wieder zu Öl und tropft in die Auffangbehälter. Noch heute werden in den Sommermonaten oben im 1500 m hoch liegenden Bächental täglich etwa sieben Tonnen Ölschiefer verarbeitet und daraus rund 140 Liter Steinöl gewonnen. Wie das genau vonstatten geht, könnt Ihr im Steinölmuseum an einem richtig funktionierenden Modell einer Schwelanlage sehen.

18 Gramaialm, 1263 m

Von der Falzthurnalm zur Gramaialm ab 6 J.

Erlebnisspielplatz im Falzthurntal

Uns lockt heute etwas ganz Besonderes: Malerisch eingebettet und umgeben vom Karwendel ist die Gramaialm das Ziel unserer Wanderung. Der dortige 1.400 m² große Almgarten mit seinem kleinen Wasser-Erlebnispark und dem großzügig angelegten Spielplatz lässt müde Kinderbeine schnell wieder munter werden. Egal, ob wir uns auf der Sonnenterrasse ein Stückchen Kuchen gönnen und das eindrucksvolle Panorama mit Blick auf die Lamsenspitze genießen oder mit unseren Kindern gemeinsam den liebevoll gestalteten Gartenbereich erkunden: Der graue Alltag mit seinem Stress und Sorgen scheint in dieses Tal noch nicht vorgedrungen. Und wer ausgepowert vom Toben den Rückweg nicht mehr schafft, steigt kurzerhand in den Nostalgiebus, der uns auf der Straße zurück zur Abzweigung Falzthurnalm bringt. Der Fahrer hat aber auch ein Herz für kleine müde Wanderer und es kann sein, dass er schon mal einen kleinen Umweg in Kauf nimmt und uns direkt am Parkplatz absetzt, wenn wir ihn höflich darum bitten.

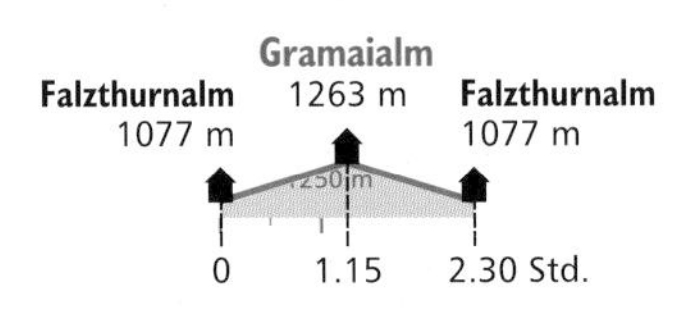

Die Lamsenspitze begleitet uns auf dem Weg durchs weite Falzthurntal.

KURZINFO

Talort: A-6213 Pertisau, 930 m.
Ausgangspunkt: Parkplatz Falzthurnalm, 1077 m. Vom Achenpass kommend auf der B 181 am Achensee entlang über Maurach bis nach Pertisau. Am Ortseingang in Pertisau links, der Beschilderung zur Karwendelbergbahn folgen, an dieser vorbei und geradeaus Richtung »Karwendeltäler« bis zum Mauthaus. Nach Entrichtung des Obolus an der kommenden Weggabelung (nach ca. 500 m) links halten, nach ca. 2 km ebenfalls links zur Falzthurnalm abbiegen (Navi: N47.426911 / E11.649123).
Gehzeit: 2.30 Std.; für den Weiterweg von der Gramaialm bis zum Wasserfall zusätzlich 40 Min. hin und zurück.
Höhenunterschied: 185 m.
Ausrüstung: Trekkingsandalen, Wechselkleidung.
Anforderungen: Alter: ab 6 Jahren. Leichte Wanderung auf breiten Wirtschafts- und Wiesenwegen, gleichmäßig leicht ansteigend ohne jegliche Absturzgefahr. Der Weg bis zur Gramaialm ist für geländegängige Kinderwägen geeignet, allerdings muss der Kinderwagen zweimal über einen Weidezaun gehoben werden.
Einkehr: Jausenstation Sennhütte Falzturn, 1077 m, kein Ruhetag, ganzjährig geöffnet bis auf 2 Wochen im Nov., Tel. 0043/664/4619354. Alpengasthof Falzturn, 1077 m, kein Ruhetag, geöffnet Mitte Mai bis Mitte Okt., Tel. 0043/664/3420236. Alpengasthof Gramaialm sowie Kashütte und Knödlhütte, 1263 m, kein Ruhetag, geöffnet Mitte Mai bis Ende Okt., im Gasthof 36 Betten in Zimmern, Juniorzimmer möglich, Familienermäßigung, Tel. 0043/5243/5166, www.gramaialm.at.
Nostalgiebus: Abfahrtszeiten täglich um 10.30, 11.30, 13.30 und 15.30 Uhr vor dem Alpengasthof Gramaialm.

HIGHLIGHTS

★viele Kühe entlang des Weges zur Gramaialm
★1.400 m² großer Almgarten auf der Gramaialm mit einem großzügig angelegten Spielplatz mit wippendem Karussell, großem Boden-Trampolin, einem Wasserspielplatz mit Wasserrinnen, einer naturnahen Kneippanlage mit kleinem Barfußpfad und einem Streichelzoo mit Ziegen, Hängebauchschweinen, Enten und Zwergkaninchen
★Wasserfall mit Spielmöglichkeit am Bach
★Rückfahrmöglichkeit mit einem Nostalgiebus – die Fahrt mit dem Bus dauert rund 15 Min. und ist ein kleines Abenteuer für sich
★nach der Tour: Bademöglichkeit im Achensee im Strandbad von Pertisau mit Piratenschiff und Wasserrutsche

Vom **Parkplatz** gehen wir die Straße hinauf, können an einer Hütte Tiroler Bergkäse kaufen, kommen an der Jausenstation Sennhütte Falzturn vorbei und stehen schon vor dem **Alpengasthof Falzturn**, 1077 m. Wir wandern weiter auf der Asphaltstraße, die uns über die herrlichen Almwiesen mit der imposanten Bergkulisse führt, kommen an einem gemütlichen Brotzeitplatzerl vorbei und marschieren geradeaus weiter Richtung »Gramaialm, Gramai Hochleger, Lamsenjochhütte«. Im Frühling kann man hier den großblütigen »Stengellosen Enzian« und den »Schusternagel« bestaunen. Kurz vor einem zu überquerenden Geröllbett geht der Weg in einen Schotterweg über, wir wandern nun etwas hinunter und kommen an eine Wegverzweigung, an der man sich zwischen dem »Waldweg« und dem »Wiesenweg« entscheiden muss. Beide Wegvarianten führen zur Gramaialm. Da der »Wiesenweg« aber über größere Strecken ein eintöniger Schotter-

Großes Bodentrampolin im Almgarten der Gramaialm.

weg ist und ein ganzes Stück an der Straße entlangführt, wählen wir für den Weiterweg den links abgehenden **»Waldweg«**. Entgegen seiner Bezeichnung verläuft er meist über freies und sonniges Gelände. Hier sei eine Anmerkung erlaubt: In sämtlichen Wanderkarten ist der hier beschriebene »Waldweg« nicht verzeichnet, obwohl dieser schon seit Jahren ausgeschildert ist. Wichtig ist, dass wir uns stets links des später auftauchenden, meist ausgetrockneten Bachbetts halten.

Mehr und mehr geht nach kurzer Zeit der erst steinige »Waldweg« in einen **Erd-Wiesenweg** über, nur kurz unterbrochen von einem kleinen Geröllausläufer hoch oben aus den Bergen. Wer will, kann nun seine Schuhe ausziehen und ein Stück barfuß weiterlaufen – man wird staunen, welchen Motivationsschub dieses Sinneserlebnis besonders bei den Kindern auslösen kann. An einem mit der Zahl 23 und einer rot-weiß-roten Markierung versehenen Stein gehen wir rechts vorbei ein wenig bergab und kommen bald zu einem

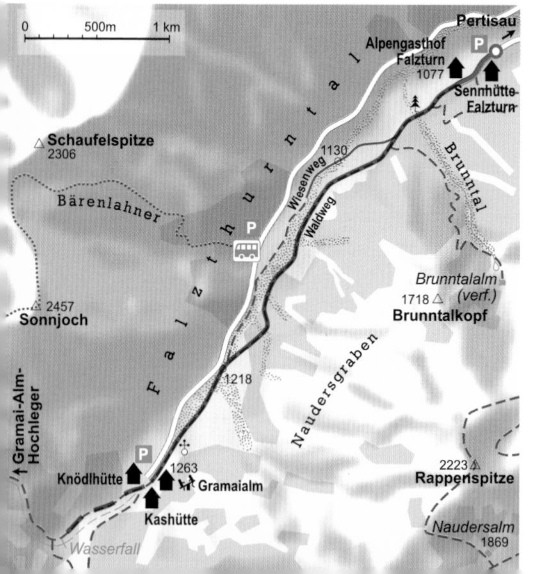

HALLO KINDER,

auf unserem Weg zur Gramaialm müssen wir auch einige Schotterreisen passieren. Wisst Ihr, wie diese Schutthalden entstehen? Wenn Wasser in den Klüften des Gesteins gefriert (man nennt das Spaltenfrost) und sich dabei ausdehnt, am Tag wieder taut, um in der Nacht wieder zu gefrieren, dann lösen sich nach einiger Zeit Steine aus dem Fels. Diese Bruchstücke reißen anderes Material mit und donnern als Steinlawine die Berge hinunter. Das ganze Karwendel ist ein Gebirge, das sehr lockeres Gestein aufweist. Beim Herabstürzen in der Lawine wird dieses dann so stark zerkleinert, dass nur noch Schotter unten im Tal ankommt.
Bestimmt werdet Ihr Euch auch wundern, warum neben unserem Weg zur Gramaialm ein großes Bachbett verläuft, in dem kein einziger Tropfen Wasser fließt? Das ist nicht immer so! Jedes Jahr, wenn die Frühlingssonne den Schnee schmelzen lässt, füllen viele Bäche das breite Bachbett mit Millionen Litern Schmelzwasser aus den umliegenden Bergen. Aber auch nach langen Regenfällen wird der Bach zum Leben erweckt. Das Wasser fließt dann in Pertisau in den Achensee.

Zaunübersteig. Hier müssen wir nun gut aufpassen: Dahinter wandern wir nicht auf dem Schotterweg halb rechts zu dem fast immer trockenen Bachbett, sondern marschieren geradeaus weiter auf einem reinen Wiesenweg, an dessen Ende wir über einen weiteren Übersteig klettern. Der bis hierhin liebliche Weg wechselt nun sein Gesicht. Auf gut einem Kilometer Länge wird uns eindrucksvoll bewiesen, dass die Natur im Gebirge das Sagen hat und nicht der Mensch. Wir wandern über gewaltige **Geröllawinen**, ein Blick bergwärts lässt uns die Kraft erahnen, mit der diese ins Tal transportiert worden sind. Mittendrin blitzt aber auch wie ein Juwel ein längerer Wurzelerdpfad auf. Hier zeigt uns die Markierung des Alpenvereins, dass wir uns auf dem richtigen Weg befinden. Dann plötzlich verschwinden die unwirtlichen Geröllmassen so schnell, wie sie gekommen sind, und machen Platz für einen wunderschönen Wiesenweg, der uns nun über den herrlichen Talboden des Falzthurntales mit den rechts und links imposant aufragenden Kalkwänden zu der bereits sichtbaren **Gramaialm**, 1263 m, führt.
Wer will, kann nun noch in 20 Min. zu einem schönen, halb in einer Höhle liegenden **Wasserfall** mit Spielmöglichkeiten an einem Bach weiterwandern. Hierzu geht man geradeaus, an der Knödlhütte vorbei, folgt dem Schotterweg weiter in Richtung Talschluss und hält sich dann an dem Hinweisschild zum Wasserfall rechts.
Eine Einkehr im Alpengasthof Gramaialm empfiehlt sich aber auf jeden Fall. Hier kann man gemütlich unter einem der vielen Sonnenschirme sitzen und dem liebevoll angelegten Almgarten mit diversen Erlebnis- und Spielmöglichkeiten einen Besuch abstatten. Herrlich ist besonders an warmen Tagen das eiskalte Wasser des Kneippbeckens, das bei Groß und Klein neue Lebensgeister weckt und uns den Rückweg, der auf dem Hinweg erfolgt, mit Leichtigkeit bewältigen lässt.

19 Felsenkloster St. Georgenberg, 898 m

Durch die Wolfsklamm nach St. Georgenberg — ab 6 J.

Wo einst die Wölfe heulten

Die vor mehr als 100 Jahren als »Perle des Tiroler Unterlandes« eingeweihte Wolfsklamm gilt als die schönste Klamm Tirols. Ihren wilden Namen verdankt sie wohl den vielen Wölfen, die früher ihre Jungen in den zahlreichen Höhlen der Umgebung säugten. Auf Holzbohlen wandern wir durch dieses eindrucksvolle Naturdenkmal am Bach entlang, vorbei an donnernden Wasserfällen, die beeindruckend die Kalkfelsen hinunterstürzen. Der Wandersteig, erst 2009 frisch saniert, wurde erfreulicherweise wunderschön in diese wildromantische Schlucht integriert – hier ruhen sogar die Brücken auf dicken Baumstämmen und nicht auf Stahlkonstruktionen. Dicke Stämme haben auch die alten Kastanienbäume oben auf der Panoramaterrasse der »Wallfahrtseinkehr«, auf der es sich bei einem schönen Blick auf die umliegende Bergwelt wunderbar rasten lässt.

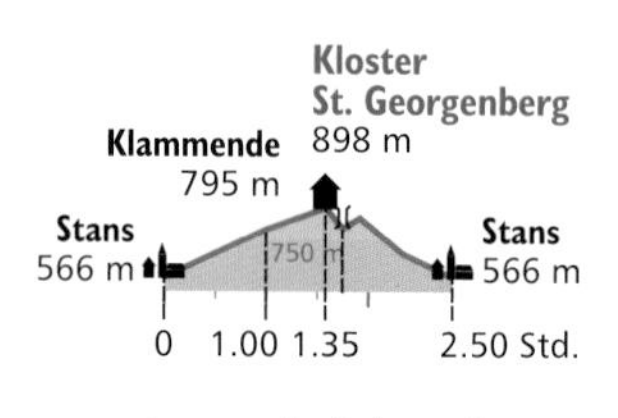

KURZINFO

Talort: A-6135 Stans, 560 m.
Ausgangspunkt: Parkplatz »Wolfsklamm – St. Georgenberg«, 566 m. Auf der Inntalautobahn (A 12) bis zur Ausfahrt Schwaz, weiter nach Stans. Kurz vor der Kirche bergauf nach links der Beschilderung »Wolfsklamm – St. Georgenberg« folgen. Beim gebührenpflichtigen Parkplatz (3 €) parken. Alternativ parkt man bereits am Schwimmbad (kostenlos) und erreicht dann zu Fuß in 10 Min. den Ausgangspunkt (Navi: N47.370829 / E11.714435).
Gehzeit: 2.50 Std.
Höhenunterschied: 380 m.
Ausrüstung: Gut profilierte Trekking- oder Wanderschuhe, eventuell Wechselkleidung.
Anforderungen: Alter: ab 6 Jahren. Leichte Wanderung auf überwiegend breiten Wegen. Der zur Klamm führende Bergsteig ist teilweise mit einem Geländer versehen. Der Weg durch die Klamm verläuft über viele Holzstufen und -steige. Kleine Kinder müssen hier stellenweise an die Hand genommen werden.
Wolfsklamm: Eintritt: Erwachsene 3 €, Kinder (6–14 Jahre) 2 €. Öffnungszeiten: Mai bis Ende Oktober.
Einkehr: Gasthof »Wallfahrtseinkehr« hinter der Kirche St. Georgenberg, 898 m, geöffnet 9–17 Uhr, Sonn- und Feiertage 8–17 Uhr, Mitte Jan. bis Ende Feb. Betriebsurlaub, Mai bis Sept. kein Ruhetag; Dez., Jan., März und April Montag und Dienstag Ruhetag, Okt. montags geschlossen, Nov. nur am Wochenende geöffnet, Tel. 0043/5242/63788.
Variante: Anstelle des Rundwegs kann man auch wieder über die Wolfsklamm bergab gehen.

HIGHLIGHTS

★ Wolfsklamm mit Steigen und Stufen und tosenden Wassermassen – ein unvergessliches kleines Abenteuer
★ schöne Spiel- und Rastmöglichkeiten am Bachbett oberhalb der Wolfsklamm
★ Familienbad in Stans mit großem Spielplatz und einer Wasserrutsche, die auch schon für Nichtschwimmer geeignet ist, sowie drei Schwimmbecken (davon 1 Nichtschwimmer), Strudel und Pinguindusche

Vom **Parkplatz** aus wandern wir, uns an der gleich auftauchenden Gabelung links haltend (Beschilderung »Wolfsklamm«), die schmale Straße am Stallenbach entlang. Nachdem wir am **Mauthäusl** unseren Obolus entrichtet haben, gehen wir auf dem breiten Forstweg leicht ansteigend weiter und schlagen an dem Hinweisschild des Gasthofs »Wallfahrtseinkehr« auf der rechten Wegseite einen schmalen Wurzelpfad ein, der uns ein kurzes Stück steil nach oben führt. Anschließend schlängelt sich der Weg dicht an der Felswand und am Abgrund vorbei. Auch wenn diese Passage mit einem Geländer (nicht kindersicher!) versehen ist, sollte man kleinere Kinder hier auf jeden Fall an die Hand nehmen. Nach etwa 30 Min. Gesamtgehzeit erreichen wir die Treppe am **Klammeinstieg**. Vorbei am kalten, feuchten Gestein führt der Weg sehr abwechslungsreich durch die Schlucht. Mal unter überhängenden Felswänden, mal über schwankende Brücken, Treppenstufen oder in Fels gehauene Galerien geht es zum Teil steil hinauf. Das Wasser donnert und rauscht bald tief unter, bald auch direkt neben uns, gräbt immer tiefere Gumpen ins Kalkgestein. Während wir durch die kühle **Wolfsklamm** wandern, recken sich etwa 200 m über uns die Laubbäume der Sonne entgegen. Obwohl das Wasser an einigen Stellen von den Wänden tropft, werden wir nicht nass, eine Jacke leistet trotzdem gute Dienste.

Nach zahlreichen Stufen und einem Felsentor wechseln wir unterhalb der 12 m hohen Staumauer ein letztes Mal die Klammseite, verlassen dieses beeindruckende Naturschauspiel über eine steile Treppe und gelangen auf einen breiten Waldweg.

Auf hölzernen Stegen durch die spannende Wolfsklamm.

Nach ein paar Metern steigen wir links hinunter zum **Stallenbach**. Hier können wir eine Rast einlegen, Steinpyramiden und Dämme bauen. Bei heißem Wetter und niedrigem Wasserstand befreien wir uns von den Wanderstiefeln, pritscheln ein wenig im Wasser und wandern dann im oder neben dem Bachbett bachaufwärts. Nach ein paar Minuten kommen wir an das Ende der Kiesbank, erklimmen die Uferböschung und setzen unsere Wanderung mit erfrischten Füßen auf dem Waldweg, den wir vorher verlassen haben, fort. Bald bleiben die Bäume hinter uns, wir werden von warmen Sonnenstrahlen eingefangen und entdecken hoch oben unser Ziel: das Kloster St. Georgenberg, das auf einem 100 m hoch aufragenden Felsvorsprung thront.

Die Brücke, an der wir nun rechts vorbeiwandern, merken wir uns für

HALLO KINDER,

Die gewaltige, überdachte und denkmalgeschützte »Hohe Brücke« ist 50 m lang und besitzt eine Durchgangshöhe von 2,80 m sowie eine Fahrbahnbreite von 4,80 m. Dieses Bauwerk könnte Euch eine abenteuerliche Geschichte erzählen: Schon seit dem Mittelalter spannt sich die Holzbrücke in 33 m Höhe über die Schlucht. Im Jahr 1497 brannte die Brücke ab und musste neu gebaut werden – die Steinpfeiler, die hierfür gesetzt wurden, ragen noch heute vom Grund der Wolfsklamm auf und bilden die Grundpfeiler für die heutige Brücke. 18 Jahre später wurde das Torhaus errichtet, das gut 170 Jahre später unter einer Lawine begraben wurde. Kaum wieder aufgebaut, gab es 15 Jahre später, im Jahr 1705, einen verheerenden Waldbrand, bei dem nicht nur die Kirche und das Kloster zerstört wurden, sondern wiederum auch die Brücke und Teile das Torhauses. Die daraufhin in nur drei Jahren fertiggestellte Holzkonstruktion ist bis heute Bestandteil der Brücke, die somit das stolze Alter von über 300 Jahren aufzuweisen hat.

den Rückweg. Vorbei an den letzten Stationen des Kreuzwegs von Weng führt der Weg stetig bergan. Die **»Hohe Brücke«**, die in den Baumwipfeln auftaucht, scheint noch weit entfernt. Aber obwohl sie hoch über unseren Köpfen schwebt, trennt uns von ihr nur eine Wegbiegung, die es aber erst einmal zu erreichen gilt. Nach der Brücke sind es nur noch ein paar Schritte und wir stehen vor der Wallfahrtskirche **St. Georgenberg**, dem ältesten Wallfahrtsort Tirols. Das Kloster entstand aus einer Einsiedelei, die bereits im Jahr 950 das erste Mal schriftlich erwähnt wurde. Hinter der Kirche wartet die **»Wallfahrtseinkehr«**, 898 m, auf uns.

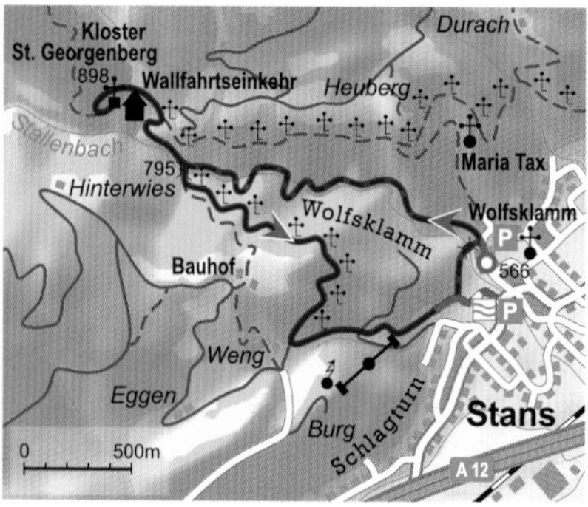

Nach einer Rast wandern wir denselben Weg zurück bis zu der Brücke, die wir uns beim Aufstieg gemerkt haben, überqueren diese und folgen der Beschilderung nach Stans und Weng auf dem breiten Pilgerweg. Anfangs steigt der Weg noch einmal an, aber nach einem großen Kreuz geht es nur noch bergab. Etwa 15 Min. später, nach dem Hinweis, dass wir uns nun im Quellschutzgebiet befinden, zweigt links im spitzen Winkel die beschilderte Abzweigung nach Stans ab. Wir folgen diesem Weg und wandern in 20 Min. weiter abwärts ins Tal, bis an einem Zaun der kleine Wegweiser »Wolfsklamm Parkplatz, 15 Min.« auftaucht. Diejenigen, die das Auto am – von hier oben schon zu sehenden – Schwimmbad abgestellt haben, folgen weiterhin der Straße.

Die anderen queren auf dem schmalen Pfad die Wiese, biegen dann rechts in die Teerstraße ein und wandern diese hinunter, bis lin-

»Da müss' ma hoch!« – Blick auf St. Georgenberg.

ker Hand das Schild »Wintersperre« auftaucht sowie ein kleiner Wegweiser, der uns nach links weist. Nach ein paar Metern gelangen wir auf einen schönen Waldpfad und schon bald fängt uns wieder das Rauschen des Stallenbachs ein, den wir kurz darauf auf einer schmalen Brücke überqueren. Nach einem letzten Blick auf den Bach wenden wir uns nach rechts und erreichen wieder den **Parkplatz**.

20 Taubenberg, 890 m

Von Osterwarngau

ab 6 J.

Zu den Trinkwasserquellen der Münchner

Das Münchner Trinkwasser zählt zu den besten Europas, das Mangfalltal mit dem angrenzenden Taubenberg ist Hauptlieferant für das kostbare Nass. Mit seinen großen Mischwäldern ist der Berg als Regensammler und Schneefang für die Wassergewinnung von großer Bedeutung. Bereits vor über 120 Jahren wurden am Fuß des Taubenbergs in Gotzing und im Mühltal bei Oberdarching Wassersammelstollen aus wasserdurchlässigem Tuffstein in den Hang in Richtung des Berges gebaut, die auch heute noch das Wasser für die Münchner auffangen. Aufgrund des Gefälles kann das Wasser dann ohne jegliche Hilfsmittel in Rohren Richtung München fließen, wo es vor den Toren der Stadt in drei großen Behältern gesammelt und anschließend verteilt wird. Einen Eindruck vom großen Wasserreichtum am Taubenberg bekommen wir auf unserer Wanderung, wenn wir es auf dem idyllischen Wegabschnitt nach der Kapelle Nüchternbrunn überall plätschern hören und sehen können.

KURZINFO

Ausgangspunkt: Parkplatz am Schwimmbad, 715 m, gegenüber dem Trachtenheim in 83627 Osterwarngau. Von Holzkirchen kommend in Warngau nach links Richtung Osterwarngau abbiegen, durch den Ort hindurchfahren und über den letzten Feldweg vor dem Ortsendeschild nach rechts zum Parkplatz (Navi: N47.842283 / E11.740179).

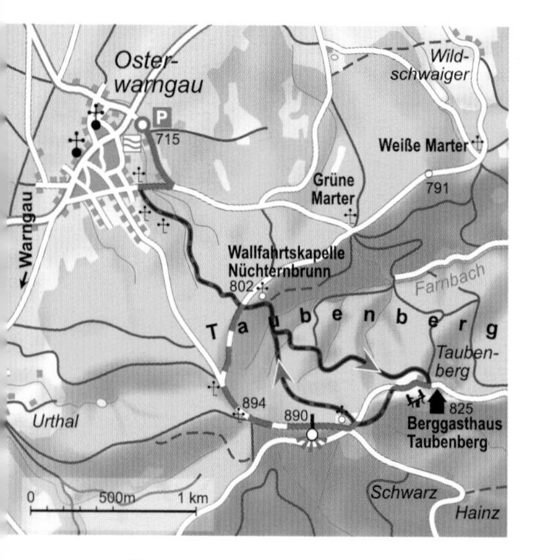

Gehzeit: 2.30 Std.

Höhenunterschied: 190 m.

Ausrüstung: Trekkingsandalen, eventuell Wechselkleidung.

Anforderungen: Alter: ab 6 Jahren. Leichte Wanderung, bei der sich breite Wege und kleine, stellenweise feuchte Waldpfade abwechseln. Wählt man für den Abstieg vom Taubenberg die Variante, so ist der Weg für geländegängige Kinderwagen geeignet.

Einkehr: Berggasthaus Taubenberg, 825 m, geöffnet von Anfang April bis Ende Oktober Donnerstag bis Sonntag sowie an Feiertagen (Ende Juli mit August Betriebsruhe), im Winter siehe www.taubenberg.de (Anfang Dez. bis Anfang Feb. Betriebsruhe), Tel. 08020/1705.

Variante: Wer lieber auf breitem, kinderwagengeeignetem Weg nach Nüchternbrunn absteigen möchte, geht vom Gasthaus Taubenberg kommend am Aussichtsturm geradeaus weiter und biegt nach etwa 700 m nach Nüchternbrunn rechts ab. Man kommt an den »Drei Kreuzen« vorbei, hält sich an der nächsten Verzweigung ebenfalls rechts und erreicht etwa 30 Min. nach dem Aussichtsturm wieder die Wallfahrtskapelle Nüchternbrunn.

Spielmöglichkeit am Bach neben der Wallfahrtskapelle Nüchternbrunn.

Vom **Parkplatz** gegenüber dem Sommerbad folgen wir erst einmal etwa 300 m der breiten Schotterstraße und biegen dann – auf ebenso breitem Weg – nach rechts ab. 200 m später weist uns vor dem ersten Haus ein etwas versteckt liegender Wegweiser »Gehweg nach Nüchternbrunn« nach links. Wir wandern nun etwa 30 Min. auf dem **Kreuzweg** hinauf, der sich gemächlich durch den Wald schlängelt, überqueren einen breiten Weg und gehen geradeaus weiter zu der in einer Waldlichtung gelegenen **Marienwallfahrtskapelle Nüchternbrunn**, 802 m, mit ihren vielen Sitz- und Rastmöglichkeiten. Direkt neben der Kapelle befindet sich ein kleiner Bach, an dem die Kinder spielen und Dämme bauen können.
Wir überqueren den Bach, wandern auf einem kleinen Pfad durch herrlichen Mischwald erst einmal bergab in ein idyllisches Tal, in dem man an allen Ecken und Enden Wasser plätschern hört. Auf einer kleinen Brücke wandern wir über den Bach, gehen über ein paar Holzbohlen und verlassen bald wieder dieses kleine

HIGHLIGHTS

- ★ kleiner Kletterturm und Sommernaturbad mit Taubenberg-Wasser am Ausgangspunkt
- ★ an der Kapelle Nüchternbrunn schöne Spielmöglichkeit an einem kleinen Bach
- ★ beim Berggasthaus Taubenberg kleiner, frisch angelegter Barfußpfad, großer Spielplatz mit Hangrutsche, Schaukeln, Wippe und Sandkasten; außerdem jede Menge Tiere: Ferkelchen, Ziegen, Limousin-Rinder, Enten, Gänse und Hennen, ein Gehege mit japanischen Schlittenhunden und drei zutrauliche Ponys, die sich auf die Streicheleinheiten der Kinder freuen
- ★ großer Aussichtsturm am Taubenberg mit herrlicher Sicht nach München und auf die Berge

Es gluckst und gurgelt am Taubenberg.

Paradies. Nun marschieren wir geradeaus weiter, den Weg nach rechts oben ignorierend – von hier kommen wir auf dem Rückweg. Nun geht es fast eben auf einem breiten Weg durch den Wald und nach einer Gesamtgehzeit von 1.20 Std. erreichen wir das **Berggasthaus Taubenberg**, 825 m, mit seinem großen Spielplatz, den vielen Tieren und der herrlichen Aussicht auf Wendelstein und Breitenstein. Auch für das leibliche Wohl ist hier bestens gesorgt, angeboten werden einfache warme Gerichte, handfeste Brotzeiten aus eigener Erzeugung und wechselnde »Zwergerlessen mit Dessert«. Nach der Stärkung müssen wir uns unbedingt im Gasthaus gegen 20 € Pfand den Schlüssel für den etwa 15 Min. entfernt liegenden Aussichtsturm holen.

Auf der breiten Asphaltstraße, die sich bald in eine Schotterstraße wandelt, geht es nun bergauf. Bereits nach 150 m können wir diese aber schon wieder nach links in einen kleinen, am Waldrand entlangführenden Pfad verlassen und kommen, die Schotterstraße umgehend, zu einem schönen **Aussichtspunkt** mit Sitzgelegenheiten. Von hier wandern wir, an der kleinen Kapelle vorbei, geradeaus weiter bis zu dem bereits 1911 errichteten, imposanten **Aussichtsturm**, 890 m, mit seinen getrennten Treppen für Auf- und Abstieg. Oben erwartet uns bei gutem Wetter im Norden ein herrlicher Blick nach München und im Süden eine fantastische Sicht von den Loferer Steinbergen bis zum Rofangebirge, sowie auf die Schlierseer und Tegernseer Ber-

Berggasthaus Taubenberg
Aussichtsturm 890 m
Nüchternbrunn
Nüchternbrunn
Osterwarngau 715 m
750 m
Osterwarngau 715 m
0 0.40 1.20 2.30 Std.

ge. Eine große Karte hilft uns beim Bestimmen der einzelnen Gipfel. Wenn wir uns sattgesehen haben, gehen wir wieder die wenigen Meter zurück zur kleinen Kapelle. Vielleicht meldet sich ein Erwachsener aus der Gruppe freiwillig und bringt schnell den Schlüssel für den Turm zurück, während die anderen oben am Aussichtspunkt noch einmal eine kleine Rast einlegen können. Direkt nach der kleinen Kapelle (vom Aussichtsturm kommend) zweigt nach links ein unbeschilderter, breiter Forstweg ab, der sich schnell zu einem schönen Weg mausert. Auf natürlichem, schmalem Waldpfad, der wohl früher einmal, nach den vereinzelt zu sehenden Holzaufbauten zu urteilen, als Mountainbikestrecke genutzt wurde, wandern wir nun steil hinunter bis zu der

Japanische Schlittenhunde.

Stelle, an der wir beim Hinweg schon vorbeigekommen sind. Wir erfreuen uns noch einmal an dem schönen Bachtal, gelangen wieder zur **Wallfahrtskapelle Nüchternbrunn** und erreichen, uns nach links wendend, in 30 Min. auf dem Hinweg wieder den Parkplatz.

HALLO KINDER,

die Menschen in Deutschland benötigen jeden Tag eine ganze Menge Wasser. 46 Liter werden allein für Baden und Duschen, 30 Liter für Waschmaschine und Geschirrspülen und 34 Liter für die Toilettenspülung von jedem Einwohner verbraucht. Insgesamt kommen so mit dem Wasser, das wir zum Trinken, Kochen und Blumengießen benötigen, 127 Liter zusammen! Da es ganz wichtig ist, dass das Wasser sauber und frei von schädlichen Bakterien ist, muss es von den Wasserwerken ständig kontrolliert werden – in München werden deshalb Tag für Tag 40 Wasserproben an den verschiedensten Stellen des Leitungssystems entnommen und auf Schadstoffe und Krankheitserreger untersucht. Und jetzt kommen sogar noch Fische ins Spiel: In Aquarien, deren Wasser direkt aus den Zu- und Abläufen der Münchner Trinkwasserbehälter entnommen wird, hält man Goldbrassen, die besonders empfindlich auf verunreinigtes Wasser reagieren, und überwacht sie rund um die Uhr mit Kameras. Als zusätzliche Sicherheit schlägt ein Piepton Alarm, falls ein geschwächter Fisch gegen die Scheibe torkeln sollte – das ist aber bislang zum Glück noch nie passiert! Das saubere Münchner Wasser könnt Ihr übrigens auch direkt aus einem der insgesamt 75 Trinkwasserbrunnen zapfen – am Viktualienmarkt stehen Euch hierfür sage und schreibe acht solcher Brunnen zur Verfügung! Schaut mal im Internet unter www.swm.de/de/produkte/mwasser/wasser-zusatzleistungen/trinkwasserbrunnen.html nach, da findet Ihr alle Trinkwasserbrunnen.

21 Neureuth, 1263 m

Vom Parkplatz Oberbuchberg

ab 6 J.

Verschlungene Pfade und Oedbergflitzer

Die Neureuth ist ein beliebtes Ausflugsziel für alle Münchner, viele kennen den Aufstieg vom Ort Tegernsee über den Bayernweg. Weitgehend unbekannt hingegen ist aber die Route von Oberbuchberg bei Gmund auf einem alten, nur noch teilweise ausgeschilderten Wanderweg auf natürlichem Waldboden hinauf zum Berggasthof. Mit einem Besuch des neu errichteten Freizeitgeländes mit Sommerrodelbahn, kleinem Streichelzoo und großem Spielplatz am Oedberg wird diese Tour zu einem echten Familienschmankerl, lässt sich doch eine herrliche Bergwanderung mit Spaß und Action für die Kleinen hervorragend kombinieren.

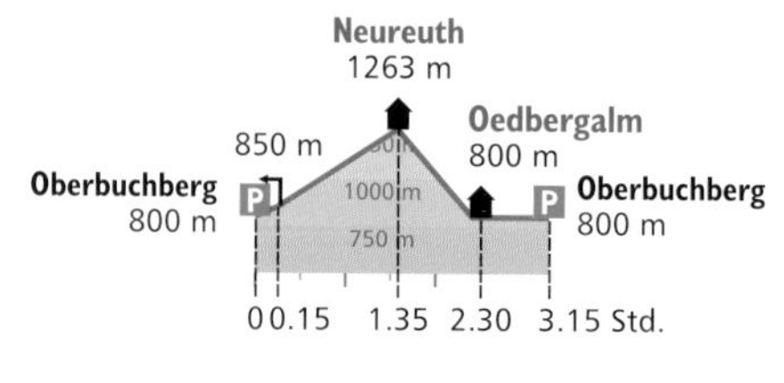

Weicher Waldboden – ideal zum Barfußwandern.

KURZINFO

Talort: 83703 Gmund am Tegernsee, 731 m.
Ausgangspunkt: Parkplatz Oberbuchberg, 800 m. Von Gmund ca. 1 km in Richtung Ort Tegernsee, dann links Richtung Hausham/Schliersee abbiegen. Nach 750 m rechts ab nach Gasse und geradeaus weiter zum Parkplatz Oberbuchberg (Navi: N47.736982 / E11.751208).
Gehzeit: 3.15 Std.
Höhenunterschied: 465 m.
Ausrüstung: Gut profilierte Trekkingschuhe oder Bergschuhe.
Anforderungen: Alter: ab 6 Jahren. Der Anstieg verläuft überwiegend auf einem kleinem Waldpfad, der nicht ausgeschildert ist. Ewas Orientierungssinn ist erforderlich. Bei feuchten Bodenverhältnissen stellenweise Rutschgefahr. Abstieg überwiegend auf breitem, geschottertem Almfahrweg und kleiner Asphaltstraße.
Einkehr: Berggasthaus Neureuth, 1263 m, Montag Ruhetag (außer feiertags, dann Dienstag Ruhetag), vom letzten Sonntag im Nov. bis 25. Dez. geschlossen, ebenso zwei Wochen um Ostern, Tel. 08022/4408. Oedbergalm, 800 m, während der Saison täglich geöffnet (meist Mitte April bis Ende der bayerischen Hebstferien Anfang Nov.), Tel. 08022/6634963, www.oedberg.de.
Variante: Wer nicht über die Oedbergalm absteigen möchte, kann vom Berggasthof Neureuth den Anstiegsweg etwa 50 m (bis zum Ende des Kiesweges) zurückgehen und nach rechts der Beschilderung »Gmund über Buchberg« folgen. Der Erdweg geht bald in einen steilen Steig über, der nach 10 Min. auf den Kiesweg führt, den wir beim Anstieg ganz unten verlassen und später gekreuzt haben. Nun über diesen oder über den Anstiegsweg zurück zum Parkplatz (1.15 Std.). Die Variante bietet sich für Familien mit kleinen Kindern an, weil man sich so den langen Weg von der Oedbergalm zurück zum Auto spart. Die Alm kann man nach der Tour über Niemandsbichel mit dem Auto anfahren und später die müden Kinder gleich ins Auto verfrachten.

HIGHLIGHTS

★ beim Aufstieg barfußtaugliche Wege und Pfade auf weichem, natürlichem Waldboden
★ Kühe und eine herrliche Wiese zum Picknicken und Toben unterhalb der Neureuth
★ Waffeleis im gemütlichen Berggasthof Neureuth direkt am Gipfel
★ am Oedberg 1448 m lange Sommerrodelbahn mit Steilkurven und Jumps, Tubingbahn, kleiner Streichelzoo mit Hasen, Meerschweinchen und den Hängebauchschweinen »Emma« und »Schnipsi« sowie großer Spielplatz mit Affenschaukel und Seilbahn;
Öffnungszeiten: 14–20 Uhr, an Wochenenden und in den Ferien ab 10 Uhr, meist von Mitte April bis zum Ende der bayerischen Herbstferien, Infos unter Tel. 08022/7195 und www.oedberg.de

Vom **Parkplatz** gehen wir die kleine, sanft ansteigende Asphaltstraße hinauf und folgen dem bald auftauchenden Schild »Neureuth, Wanderpassstempelstelle«. Kurz darauf geht der Weg in einen breiten Schotterweg über. Diesem folgen wir etwa 5 Min., kommen kurz nach einer Linkskurve über einen Weiderost und müssen nun nach weiteren 200 m aufpassen: Wenn beidseitig des Weges die Wiese beginnt, verlassen wir an der **Bank** den Weg nach links, gehen weglos und unbeschildert direkt 50 m auf den Wald zu und erkennen bald, dass vom Waldrand ein ganz deutlicher Pfad in den Wald führt. Wer sich traut, zieht schon an der Bank seine Schuhe und Strümpfe aus und läuft barfuß über die Weide und über herrlich weichen Waldboden.
Diesen breiten Pfad mit verwaschenen roten Markierungen an den

Grandioser Blick von der Neureuth auf den Tegernsee.

Bäumen wandern wir nun steil hinauf, bald verläuft er ein Stück entlang eines Zaunes. Der kleinere Pfad, der linker Hand abzweigt, führt wenig später wieder zurück auf unseren Waldpfad. Nach einem kurzen steinigen Stück überqueren wir zwei **Bächlein** und folgen nun einem Karrenweg, bis wir auf einen Wirtschaftsweg stoßen, in den wir nach rechts einbiegen. Auf diesem marschieren wir etwa 150 m, bis der Weg in den breiten Kiesweg mündet, den wir unten verlassen haben. Wir wenden uns nach links, verlassen den Kiesweg aber schon nach wenigen Metern wieder, noch vor der Bank, nach rechts in einen breiten Erdweg, überqueren ein Bächlein und schlagen unmittelbar dahinter den kleinen Pfad ein, der sich den Berg hinaufschlängelt. Wieder überqueren wir ein Rinnsal und gehen über Wurzeln geradeaus weiter steil hinauf. Nach 20 Min. kreuzen wir erneut einen Wirtschaftsweg. Wir freuen uns über das Schild »Neureuth«, zeigt es uns doch, dass wir noch richtig sind, und folgen diesem in den Wald. Nach weiteren 20 Min. betreten wir durch einen Zaundurchlass eine Wiese und kommen weglos – vorbei an einer Bank – auf den schönen Wiesen-Almweg, der von Tegernsee hinaufführt. Wir wenden uns nach links, die Kinder stürmen den herrlichen, leicht ansteigenden Wiesenweg zur **Neureuth**, 1263 m, hinauf – die Aussicht auf ein Eis im Berggasthof mobilisiert ungeahnte Kräfte. Gelockt von einer ganz anderen Aussicht – auf den Tegernsee und seine südlichen Berge – legen nun

HALLO KINDER,

unser Weg führt uns heute durch schönen Wald, da werdet Ihr sicher am Boden einige längliche Zapfen finden. Aber sind das nun Tannen- oder Fichtenzapfen? Tannenzapfen stehen immer senkrecht auf dem Zweig. Die einzelnen Schuppen fallen ab und die darunter herangereiften, geflügelten Samen werden vom Winde verweht. Der Strunk hingegen, die sogenannte Spindel, bleibt stehen. Fichtenzapfen hängen am Ast nach unten und öffnen nach der Fruchtreife ihre Schuppen, damit die ebenfalls geflügelten Samen ihre luftige Reise antreten können, und fallen dann als Ganzes ab. Demnach sind längliche Zapfen, die Ihr am Boden findet, immer Fichtenzapfen und keine Tannenzapfen! Die Samen der Fichtenzapfen sind ein beliebter Leckerbissen für Eichhörnchen, Mäuse und Vögel. Und da oft Zapfen auf den Boden fallen, deren Schuppen sich nicht richtig geöffnet haben, machen die Tiere hier reiche Beute.

Auf den weiten Bergwiesen lässt es sich gut picknicken.

auch die Erwachsenen einen Schritt zu und so erreichen wir nach wenigen Minuten das Gasthaus.

Für den Abstieg gehen wir über die Terrasse und auf dem breiten Weg Richtung Gindelalm, verlassen diesen aber nach etwa 100 m nach links und wandern über einen Wiesenweg hinunter. Bald geht der Weg in einen breiten Almfahrweg über. Wir halten uns links und schwenken kurz darauf nach rechts hinunter in Richtung Ostin (Tafel). Nach 40 Min. stoßen wir auf eine querende Teerstraße, biegen rechts in diese ein und erreichen nach 5 Min. die **Oedbergalm**, 800 m, mit ihren vielen Attraktionen.

Um zum Auto zu gelangen, wandern wir von dort auf der Asphaltstraße wieder zurück und an der Einmündung des Weges von der Neureuth geradeaus weiter. Uns links haltend erreichen wir über den kleinen Ort mit dem schönen Namen **Niemandsbichel** nach einer knappen Dreiviertelstunde auf kleinen Asphaltsträßchen den Ausgangspunkt .

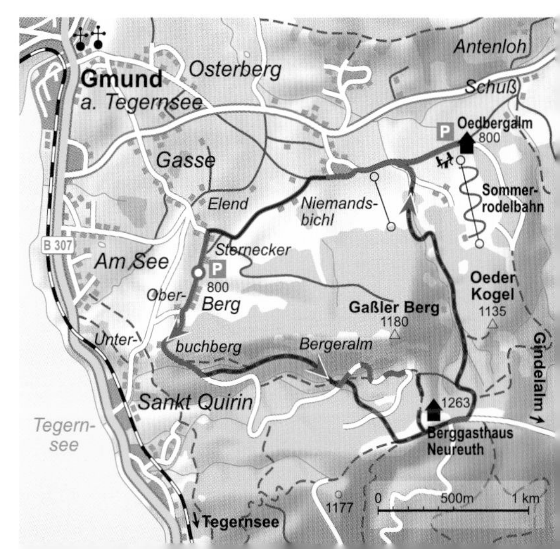

22 Siebenhüttenalm, 836 m

Durch die Hofbauernweißach **ab 6 J.**

Bachtrekking für heiße Sommertage
Das Wasser der Hofbauernweißach glitzert in der Sonne, Flusskiesel schimmern Edelsteinen gleich zu unseren Füßen. Die Kinder werden zu Forschern und Entdeckern, wollen den Lauf des »reißenden Flusses« erkunden. Das seichte, angenehm kühle Wasser stellt einen herrlichen Kontrast zur Hitze des Tages dar. Größere Kinder freuen sich auf das zusätzliche Abenteuer »Canyoning light« hinter der Siebenhüttenalm. Auf dieser Wanderung ist eines besonders wichtig: die passende Fußbekleidung. Bloß keine Wanderstiefel, denn diese sind hier vollkommen fehl am Platz. Aber bitte auch keine Gummistiefel, mit denen würden die Sprösslinge nicht nur ihres Spaßes, sondern auch etlicher Sinneseindrücke beraubt. Fast die Hälfte des Weges verläuft bei dieser Wanderung im Bachbett. Geübte Barfußläufer können diesen Teil der Tour auf blanken Sohlen absolvieren. Das ist zwar eine kleine Herausforderung, verspricht jedoch ein tolles Naturerlebnis. Aber auch in wasserfesten Trekkingsandalen ist dieses Bachtrekking für Groß und Klein etwas ganz Besonderes.

KURZINFO

Talort: 83708 Kreuth, 783 m.
Ausgangspunkt: Parkplatz an der B 307 (Achenpassstraße), 800 m. Von Gmund am Tegernsee auf der B 307 bis Kreuth. An dem großen Wanderparkplatz 1,5 km nach Kreuth vorbeifahren und etwa 2 km später am ausgeschilderten Parkplatz parken. Hinweis: Das Parkplatzschild steht auf der rechten Seite der Straße, wir biegen aber auf dieser Höhe, unmittelbar vor einem Bushaltestellenschild, links in die kleine Straße zu den – schattigen – Parkplätzen ein. Diese sind besser geeignet, da die stark befahrene Straße nicht mehr überquert werden muss (Navi: N47.622733 / E11.735008).
Gehzeit: 2.45 Std.
Höhenunterschied: 60 m.
Ausrüstung: Wasserfeste Trekkingsandalen, Wechselkleidung, Badesachen.
Anforderungen: Alter: ab 6 Jahren. Leichte Wanderung auf breiten Wanderwegen, kleinen Pfaden und direkt im seichten Bachbett. Tour durchs Wasser nur an warmen, sonnigen Tagen und bei niedrigem Wasserstand begehen. Die Tour ist bereits für Kinder ab 4 Jahren gut geeignet, wenn man nur bis zur Siebenhüttenalm geht und die Bachtrekking-Runde oberhalb der Alm weglässt.
Einkehr: Siebenhüttenalm, 836 m, geöffnet von Mitte Mai bis zum 2. Sonntag im Okt., Dienstag Ruhetag, kleine, einfache Brotzeiten. Gasthaus »Altes Bad«, durchgehend geöffnet von 11.30–23 Uhr, Ruhetag Anf. Juni bis Mitte Okt. montags, Mitte Okt. bis Ende Mai montags und dienstags, Biergarten bei schönem Wetter ab 10 Uhr, Tel. 08029/ 304. Herzogliche Fischzucht Wildbad-Kreuth, Montag bis Freitag bis 17 Uhr, Samstag bis 16 Uhr geöffnet.

HIGHLIGHTS

- ★ leichtes Bachtrekking durch das Wasserparadies der Hofbauernweißach bis zur Siebenhüttenalm
- ★ »Canyoning light« oberhalb der Alm – für abenteuerlustige Kinder

Das Wildwasser-Abenteuer unterhalb der Blauberge ist ein tolles Erlebnis.

Immer wieder gibt es am Ufer kleine Pfade zu entdecken.

Vom **Parkplatz** gehen wir nach der Brücke, die uns über die Weißach führt, geradeaus weiter und halten uns an der Gabelung links Richtung Siebenhüttenalm. Wir folgen der breiten Kiesstraße bis zur nächsten Weggabelung, schlagen hier den rechten Weg ein (»Siebenhüttenalm«), verlassen diesen jedoch bereits wieder nach 5 m in einen kleinen Pfad nach links (unmittelbar nach dem Baum, der die Beschilderung zur Halserspitze trägt). Vor uns die Blauberge und begleitet von mannshohen Nadelbäumchen folgen wir dem schmalen Pfad, der sich schräg zum ausgebauten Wanderweg freudig durch die unberührte Natur schlängelt. Schon von Weitem hören wir das Rauschen der **Hofbauernweißach**. In ihrem breiten Bett fließt sie sanft dahin, das Wasser reicht in den Sommermonaten, von einigen etwas tieferen Furchen einmal abgesehen, maximal bis zum Knöchel. Mit der ausgegebenen Devise, auf keinen Fall den Wanderweg zu betreten, werden die Kinder zu begeisterten Wanderführern, die hauptsächlich im Wasser oder auf den schmalen Pfaden am rechten Ufer (in Gehrichtung) ihre eigenen Wege suchen. Ein Verlaufen ist ausgeschlossen, da wir uns ja am Bachlauf orientieren können. In den Kindern erwacht der Entdeckerdrang. Hier werden Edelsteine gesammelt, dort Dämme aufgeschichtet oder mitten im Bach auf den großen Steinen eine Expeditionsbesprechungspause eingelegt. Wer möchte, kann schon nach kurzer Zeit an einem Rastplatz mit Tisch und Bänken eine Pause machen.

Hofbauernweißach
845 m
Siebenhüttenalm
836 m
Siebenhüttenalm
B 307
800 m
B 307
800 m
750 m
0 1.30 1.55 2.45 Std.

Vor einer Brücke, über die der breite Wanderweg führt, überqueren wir einen winzigen Wasserfall und setzen unseren Weg auf Sandboden fort, bis wir die erste enge Stelle des

Baches erreichen. Wild schießt er zwischen den Felsen hindurch, kleine tiefe Gumpen zeugen von der Kraft des Wassers. Wir steigen über die Felsen und machen oben eine kleine Pause. Hier ist das Bachbett wieder breiter, das Wasser seichter und die Fließgeschwindigkeit ideal, um Baumrindenbötchen schwimmen zu lassen. Haben wir uns bislang an der rechten Bachseite orientiert, so setzen wir nun unseren Weg am linken Ufer fort. Oberhalb des Bachbetts wandern wir den schmalen Pfad entlang, der uns bald vom Wasser wegführt. Er mündet in den breiteren Wanderweg, den wir später auf dem Rückweg benutzen werden. Hier schwenken wir nach rechts, gehen über eine Holzbrücke, durch ein Gatter und erreichen schnell die schön gelegene **Siebenhüttenalm**, 836 m.

Nach der Rast erwartet uns (mit Kindern ab 6 Jahren) ein Hauch von Canyoning: Wir gehen wieder zur **Hofbauernweißach** und wandern im seichten Wasser den Bach hinauf und unter einer Brücke hindurch. Dann wird der Bachlauf plötzlich schmaler, die Ufer steiler. Wir sind in einer kleinen Schlucht und waten durch das Wasser, das nun tiefer und wilder an unseren Wadeln vorbeibraust. Runde, ausgewaschene Felsformationen tauchen auf und wir steuern direkt auf einen **kleinen Wasserfall** zu. Hier geht den Erwachsenen das kühle Nass bei niedrigem Wasserstand im Sommer schon mal bis zur Mitte des Schienbeins. Unmittelbar vor dem Wasserfall müssen wir unsere Hände zu Hilfe nehmen, um das felsige Ufer emporzukraxeln. Nach dieser Klettereinlage weitet sich das Bachbett und wir steigen wieder ins seichte Wasser. Wir wandern unter einer

Um den nächsten Pfad zu erreichen, muss man erst einmal das Ufer hinaufklettern.

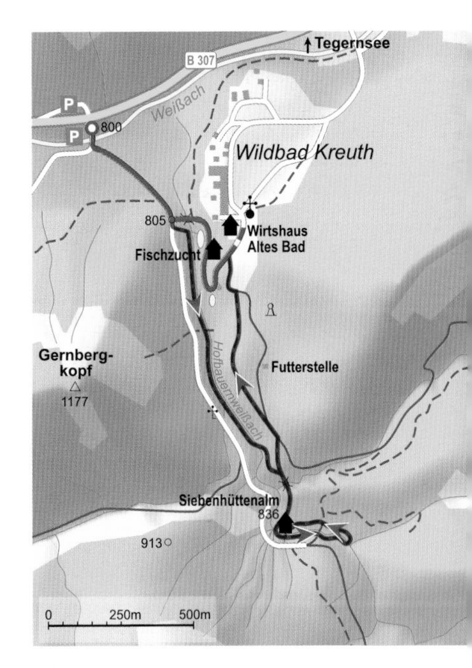

Kraxeleinlage beim »Canyoning«.

weiteren Brücke hindurch und verlassen etwa 100 m nach der Rechtsbiegung des Baches, an der Stelle, an der in Gehrichtung direkt am Ufer links ein Pfad auftaucht, endgültig das Bachbett, machen kehrt und gehen auf diesem Pfad flussabwärts zurück. Schon bald stoßen wir an einer Wegkreuzung auf einen Schotterweg und wandern geradeaus hinunter zur **Siebenhüttenalm** und rechts an dieser vorbei. Auf demselben Weg, auf dem wir beim Hinweg zur Siebenhüttenalm gekommen sind, marschieren wir ein Stück zurück und wieder über die kleine Holzbrücke. Diesmal bleiben wir aber auf dem Wanderweg, der uns nun ein Stück steil hinaufführt. An zwei **Sitzbänken** tut sich ein schöner Blick auf die Hofbauernweißach auf, die tief unter uns schimmert. An der nächsten Weggabelung halten wir uns links (Beschilderung »Heilklima Walking 11«) und folgen dem Weg, bis vor uns in der Ferne das **Gasthaus »Altes Bad«** auftaucht. Möchten wir dort nicht einkehren, nehmen wir etwa 150 m vorher den im spitzen Winkel nach links abzweigenden, breiten Weg, der uns hinunter zu den **Forellenteichen** führt. Auf dem Steg können wir die im Wasser springenden Forellen beobachten. Auch hier kann, wer Fisch mag, einkehren oder sich eine geräucherte Forelle mit nach Hause nehmen. Schließlich gelangen wir über eine Holzbrücke zurück zu der Weggabelung, die wir bereits vom Hinweg kennen. Über den breiten Fahrweg erreichen wir in wenigen Minuten den **Parkplatz**.

HALLO KINDER,

am Ende der Wanderung kommen wir an einer Forellenzucht vorbei. Wusstet Ihr, dass eine ausgewachsene Forelle bis zu einen Meter lang und bis zu 10 Kilogramm schwer werden kann? Jedes Weibchen legt zwischen März und Oktober etwa 10.000 Eier am Teichgrund ab, das sind im Schnitt 1250 Eier pro Monat. Die Eier werden in eine Laichgrube gelegt, die vorher mit dem Körper und den Flossen in den kiesigen Untergrund gegraben wurde. Mithilfe seines Mauls schaufelt das Weibchen die Grube hinterher wieder zu, um die Eier zu schützen. Je nach Wassertemperatur dauert es nun 70 bis 200 Tage, bis die winzigen Fischlarven schlüpfen. Anfangs sind sie nur etwa 2 Millimeter groß. Erst nach eineinhalb Monaten beginnen sie selbst zu jagen und mit etwa eineinhalb Jahren haben sie ihr »Portionsgewicht« von circa 350 Gramm erreicht.

Roßstein, 1698 m

Über Sonnbergalm und Tegernseer Hütte **ab 10 J.**

Kraxelei für kleine Bergfexe

Das große Trampolin auf der etwas abenteuerlich anmutenden Holzkonstruktion an der Tegernseer Hütte hätte es eigentlich gar nicht gebraucht – weiche Knie bekommt selbst der eine oder andere Erwachsene schon beim Anstieg, geht es doch die letzten 20 Minuten über kurze, bisweilen ausgesetzte und mit Drahtseil gesicherte Felsstufen steil hinauf. Familien, die nach dem Sonnbergalm Hochleger in Anbetracht der steilen Felswände des Roßsteins der Mut verlässt, können aber anstatt über die Südflanke auch auf dem sogenannten Altweibersteig um den Berg herumgehen und von Norden her ebenfalls die wie ein Adlerhorst in den Fels gebaute Tegernseer Hütte erreichen. Für nicht so konditionsstarke Kinder ist die mit rund 5 Std. reine Gehzeit veranschlagte Tour allerdings schon recht lang. Je nach Motivation und Kraft der Sprösslinge kann man die Tour bereits an der zur Almzeit bewirtschafteten Sonnbergalm mit ihren zu einem Sonnenbad einladenden Wiesen beenden und sich die letzten 200 Höhenmeter bis zum Gipfel für ein späteres Jahr aufheben.

Den markanten Leonhardstein im Rücken, geht es nach einer Pause am Sonnbergalm Hochleger weiter zum Roßstein.

KURZINFO

Talort: 83708 Kreuth, 783 m.
Ausgangspunkt: Wanderparkplatz bei Bayerwald, 870 m. Vom südlichen Ende des Tegernsees auf der B 307 (Achenpassstraße) über Kreuth nach Bayerwald. Ca. 700 m nach dem Gasthaus Bayerwald rechts zum großen, gebührenfreien Parkplatz (Navi: N47.615602 / E11.676664).
Gehzeit: 5.10 Std. (bei Umgehung der steilen Südflanke auch beim Aufstieg 5.40 Std.).
Höhenunterschied: 940 m (inkl. Gegenanstieg beim Abstieg).
Ausrüstung: Bergschuhe.
Anforderungen: Alter: ab 10 Jahren. Zusammen mit dem Aufstieg auf den Branderschrofen (Variante der Tour 1) die mit Abstand schwierigste Tour des Buches. Die letzten 150 Höhenmeter über die Südflanke des Roßsteins bis zur Tegernseer Hütte verlaufen auf einem kleinen Klettersteig weglos (markiert) über mehrere drahtseilgesicherte, teilweise ausgesetzte Stellen. Trittsicherheit und Schwindelfreiheit sind absolut unerlässlich. Dieses Teilstück ist nur mit bergerfahrenen Kindern zu begehen (eventuell mit kurzem Seil sichern). Für den Abstieg sollte man auf jeden Fall den einfacheren Umgehungsweg wählen. Sonst verläuft der Weg auf guten Bergpfaden, die bei Nässe teils rutschig sein können. Für die letzten 50 Höhenmeter zum Roßstein ist ein-, zweimal die Zuhilfenahme der Hände erforderlich. Warnung: Der direkt über der Tegernseer Hütte aufragende Buchstein erfordert Klettern im 2. Schwierigkeitsgrad und ist für Kinder nicht geeignet!
Einkehr: **Sonnbergalm Hochleger**, 1485 m, geöffnet mit dem Almauftrieb ab Mitte Juni bis Ende September (wenn das Wetter mitspielt) täglich, danach bis Kirchweih an schönen Wochenenden, keine Übernachtungsmöglichkeit. **Tegernseer Hütte**, 1650 m, DAV, geöffnet vom 2. Samstag im Mai bis zum 1. Sonntag im November, kein Ruhetag, zwei Lager mit insgesamt 40 Matratzen, vorab Anmeldung erforderlich unter Tel. 0175/4115813 oder 08029/9979262, www.heimat.de/tegernseer_huette.

HIGHLIGHTS

★ abwechslungsreicher, spannender Bergsteig
★ am Sonnbergalm Hochleger zur Almsaison weidende Kühe, auf den Wiesen viel Platz zum Barfußlaufen und Picknicken
★ Kraxelei zur Tegernseer Hütte – für bergerfahrene und abenteuerlustige Kinder ein spannendes Erlebnis
★ großes Trampolin und Schaukel an der Tegernseer Hütte

Unsere Tour beginnt direkt am hinteren Ende des großen **Parkplatzes** (Richtung Bayerwald), hier folgen wir der Beschilderung »Roß- u. Buchstein« der DAV-Sektion Tegernsee auf den schönen Bergsteig, der uns über die Südflanke des **Sonnbergs** in vielen Serpentinen durch lichten Mischwald nach oben führt. Im Sommer empfiehlt es sich, früh aufzubrechen, bei dem steilen Weg kommt man auch schon bei kühlen Temperaturen schnell ins Schwitzen. Nach 45 Min. Gehzeit erreichen wir den unbewirtschafteten **Sonnbergalm Niederleger**, 1144 m, sehen links unten einen kleinen Bach, zu dem man einen kleinen Abstecher machen könnte, und wandern nur leicht ansteigend an einigen vereinzelt stehenden, im Herbst gelb leuchtenden Ahornbäumen vorbei. Der nun überwiegend in der Sonne liegende Bergweg wird schnell wieder steiler, jetzt sind bei den Kindern Durchhalteparolen angesagt – der Weg kostet jede Menge Kraft. Ein Apfel oder anderes Obst erfrischt nicht nur, sondern gibt auch den nötigen Energieschub, um die nächsten Höhenmeter zu schaffen.

Endlich kommt man wieder in den Wald, der Pfad quert nun, nur leicht ansteigend, auf einem Wurzelweg den Sonnberg, bis man schließlich, wieder steil ansteigend, oberhalb der Waldgrenze den **Sonnbergalm Hochleger**, 1485 m, erreicht. Hier muss man einfach rasten! Richtung Süden hat man einen überwältigenden Blick ins Rofan- und Karwendelgebirge, gegenüber bauen sich im Norden die Korallenkalkwände des Roß- und Buchsteins auf. Dazwischen liegt, eins mit dem Fels, die Tegernseer Hütte, deren Fahne man schon im Wind flattern sehen kann. Wer mag, zieht schnell seine Schuhe und Strümpfe aus und gönnt seinen Füßen auf der weichen Almwiese eine Verschnaufpause. Das lassen sich die Kinder nicht zweimal sagen und rennen schon barfuß

Links: Blick vom Klettersteig auf die Gebirgsketten der Alpen.

Für den steinigen Weg sind gute Bergschuhe wichtig.

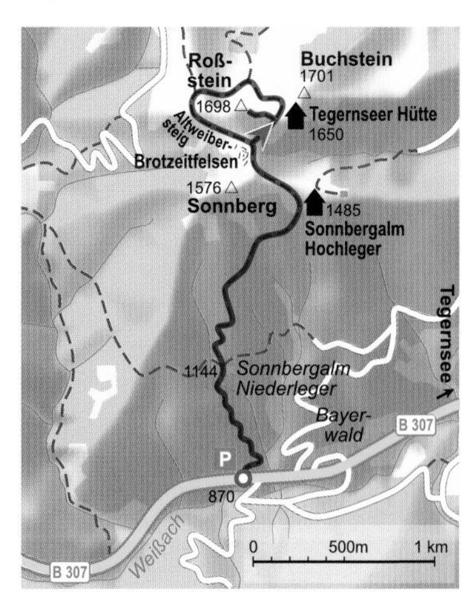

Wie ein Adlerhorst schmiegt sich die Tegernseer Hütte an den Fels.

HALLO KINDER,

die erste Hütte, die 1903 zwischen Roß- und Buchstein erbaut wurde, war mit 12 m² in etwa so groß wie Euer Kinderzimmer. Die Handwerker mussten jedes benötigte Teil zu Fuß hochtragen, was für eine Schufterei! Nach nur 10 Jahren war die Hütte zu klein, die Plackerei begann von Neuem. Irgendwann schlug der Blitz ein und die ganze Hütte brannte ab. Dieses Mal baute man zuerst eine Materialseilbahn, um das benötigte Baumaterial für die noch etwas größer geplante Hütte hinaufbefördern zu können. Auch heute noch ist diese Seilbahn in Betrieb, jetzt werden zum Beispiel die Lebensmittel für die Bewirtung der Wanderer hinauftransportiert. Erst vor ein paar Jahren (2005/06) wurde die Tegernseer Hütte komplett renoviert und schon wieder erweitert. Seitdem erstrahlt sie in neuem Glanz, und das Beste ist, die Sonne strahlt gleich mit, werden doch ihre Strahlen durch die zahlreichen Sonnenkollektoren auf dem Dach nicht nur in Strom verwandelt, sondern auch zum Aufheizen des Wassers verwendet. Und wenn sich die Sonne mal hinter Regenwolken versteckt, freuen sich die Wirtsleut' auch darüber, denn bis zu 10.000 Liter Regenwasser können für die Hütte aufgefangen und gespeichert werden. Weil die Tegernseer Hütte so beliebt ist, geht bei den vielen Übernachtungen ab und zu das Licht aus, nämlich dann, wenn die Stromakkus leer sind. Deshalb wird wohl bald schon wieder die nächste Erweiterung ins Haus stehen und die Tegernseer Hütte eine noch größere Solaranlage bekommen.

hinüber zur Almhütte, wo man für einen Euro ein Stück selbst gebackenen Kuchen bekommt.
Nach der Rast wandern wir in nordwestlicher Richtung weiter und plötzlich wird auch der Blick nach Westen auf die Soierngruppe, das Ester- und das Ammergebirge frei. Wir marschieren an dem großen Felsklotz, dem sogenannten **»Brotzeitfelsen«**, mit seinem Holzkreuz vorbei und müssen uns ein paar Meter weiter entscheiden: Rechts geht es auf dem »Normalanstieg« über einen kleinen Klettersteig mit einigen drahtseilgesicherten Passagen über Felsstufen auf dem direkten Weg in einer knappen halben Stunde zur Tegernseer Hütte (Achtung! Absolute Trittsicherheit und Schwindelfreiheit erforderlich, siehe »Anforderungen« in der Kurzinfo). Links bringt uns der leichte Anstieg, der sogenannte Altweibersteig, in der doppelten Zeit – den Roßstein umgehend – von Norden hinauf. Haben wir den **»Normalanstieg«** gewählt, zweigt – kurz bevor man zur Tegernseer Hütte kommt – noch vor der letzten Seilsicherung im spitzen Winkel der etwas undeutliche Steig zum Roßstein ab. Jetzt noch ein-, zweimal die Hände zu Hilfe genommen und man erreicht in wenigen Minuten den **Roßstein**, 1698 m, mit atemberaubender Aussicht auf den Buchstein und die vielen Gebirgsketten im Süden und Westen. Wenn wir uns sattgesehen haben, steigen wir hinunter zur **Tegernseer Hütte**,

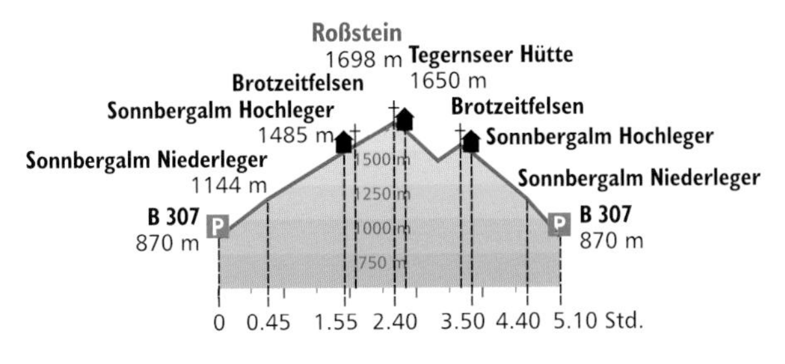

1650 m, auf deren spektakulärer Terrasse – direkt über dem Abgrund – man unbedingt einmal gesessen haben muss. Den leckeren Kaiserschmarrn gibt es dort aber leider nur werktags (ohne Samstag).
Für den Rückweg wählen wir mit den Kindern den leichteren Abstieg um den Roßstein herum. Hierzu müssen wir über die Terrasse der Hütte, ein paar Treppenstufen hinunter und dann auf steinigem, bisweilen rutschigem Bergsteig bis zu einer Verzweigung. Hier der Beschilderung geradeaus Richtung Bayerwald folgen und eben weiter, bald steil ansteigend auf sehr rutschigem Untergrund bis auf den breiten Kamm, der zur Roßsteinalm hinüberführt. Nun nach links und auf dem anfangs noch breiten Weg wieder zum **»Brotzeitfelsen«**.
Von hier in eineinhalb Stunden auf dem Hinweg zurück zum **Parkplatz**.

Blick vom Roßstein auf den Buchstein.

24 Erzherzog-Johann-Klause, 814 m

Vom Forsthaus Valepp

ab 10 J.

Sandstrand am Gebirgsbach

Für diese Wanderung sollte man unbedingt genügend Zeit einplanen, damit man an der Grundache mit ihren beeindruckenden Felsformationen, den kristallklaren Gumpen und einem richtigen kleinen Sandstrand mit den Kindern gemütlich spielen, plantschen und rasten kann. Wer will, kann in der Erzherzog-Johann-Klause in einem Familienzimmer übernachten, um am nächsten Tag ausgeruht den Rückweg anzutreten. Aber Achtung, die gemütliche Hütte hat weder einen Telefonanschluss noch besteht ein Handynetz, sodass Kurzentschlossene nicht mal eben schnell bei den Daheimgebliebenen Bescheid sagen können. Auch einen Schlüssel für die Zimmer wird man vergeblich suchen, mit einem einfachen Haken lässt sich aber die Tür von innen verriegeln.

KURZINFO

Talort: 83700 Rottach-Egern, 731 m.
Ausgangspunkt: Parkplatz Brennerklamm, 878 m, etwa 400 m vor dem Parkplatz des Forsthaus Valepps, an dem nur Gäste parken dürfen. Von Tegernsee kommend in Rottach-Egern von der Nördlichen Hauptstraße links in die Ludwig-Thoma-Straße und über die Monialm zum Ausgangspunkt; mautpflichtig (Navi: N47.619934 / E11.891091).
Gehzeit: 4.40 Std.
Höhenunterschied: 290 m.
Ausrüstung: Bergschuhe, Badesachen und Wechselkleidung.
Anforderungen: Alter: ab 10 Jahren. Der Weg führt über Forststraßen und quert steile und felsige Hänge auf schmalen Bergsteigen, die stellenweise etwas ausgesetzt sind. Trittsicherheit und Schwindelfreiheit sind unerlässlich, es bestehen einige wenige Drahtseilsicherungen. Die Tour nicht bei Nässe begehen, da dann auf den schmalen Holzstegen erhebliche Rutschgefahr herrscht. Nur für Kinder mit Bergerfahrung geeignet (eventuell mit kurzem Seil sichern)! Schilder warnen vor Steinschlaggefahr.
Einkehr: Erzherzog-Johann-Klause, 814 m, von Anfang Mai bis Ende Okt. geöffnet, Montag Ruhetag, Tel. (Tal) 0043/664/2823636, 40 Schlafplätze, www.erzherzog-johann-klause.at, info@erzherzog-johann-klause.at (für Reservierungen). Forsthaus Valepp, 878 m, ganzjährig geöffnet außer Anfang Nov. bis Weihnachten, kein Ruhetag, 30 Betten, Tel. 08026/71281 (liegt in Deutschland).
Variante: Rückweg über die Klause (Forststraße). Nach dem Hasen- und Meerschweinchengehege rechts hinunter zur Klause, die Brücke überqueren und nach links Richtung Ackernalm. Der Weg verläuft stetig bergan, bei einer Verzweigung nehmen wir den geradeaus führenden Weg zur Valepp. Etwa 2 km nach der Klause geht nach Überquerung einer Brücke links ein kleiner Pfad (»Valepp«) ab, der uns durch den Wald wieder zur Brücke über die Grundache führt.

HIGHLIGHTS

★ an der Grundache toller Platz zum Spielen, Klettern und Plantschen mit einem richtigen kleinen Sandstrand und glasklaren Gumpen
★ an der Erzherzog-Johann-Klause teilweise frei herumlaufende Hühner, Meerschweinchen und Hasen sowie Pferde, Schweine, Schafe und Ziegen, außerdem kleiner Spielplatz für Kleinkinder mit zwei Schaukeln und Rutsche

Die schwierigste Stelle der Tour – Bruchsteinpfad ohne Sicherung.

Vom Parkplatz weist uns auf der Teerstraße ein großes Schild an der Bushaltestelle über eine Brücke zum etwa 400 m entfernt liegenden Gasthaus **»Forsthaus Valepp«**. Dort gehen wir über den Parkplatz und folgen nun, mangels Hinweis zur Klause, auf einem breiten Kiesweg erst einmal der Beschilderung »Elendsattel/Zipfelwirt/Rotwand«. Rechts zweigt bald ein Pfad zu einer strahlend weißen Kapelle ab, wir marschieren aber geradeaus weiter, kommen stetig ansteigend an der **Ochsenalm** vorbei und erreichen nach einer guten halben Stunde einen Schilderbaum. Links führt der Weg zur Rotwand, wir aber gehen halbrechts weiter Richtung Erzherzog-Johann-Klause und schwenken wenige hundert Meter später rechts hinunter in einen schmaleren Weg zur Klause, der uns zum meist ausgetrockneten Bachbett des **Enzenbaches** führt. Ein Schild zeigt hier die Staatsgrenze zu Österreich an; in Amtsdeutsch wird darauf hingewiesen, dass der Grenzübertritt nur bis 21 Uhr erlaubt ist. Wer also auf dem Rückweg spät dran ist und erst um 21.01 Uhr das Schild passieren möchte, muss abwägen, ob er einen Gesetzesverstoß begehen oder lieber vor dem Schild mit seiner Familie übernachten möchte.

Der Weg bleibt erst einmal auf gleicher Höhe (etwa 930 m), dann wird er bald zu einem schmalen Steig – das kleine Abenteuer kann beginnen. Über erste Holzbrücken quert man abschüssige Rinnen, Wasser läuft daneben die Felsen hinunter,

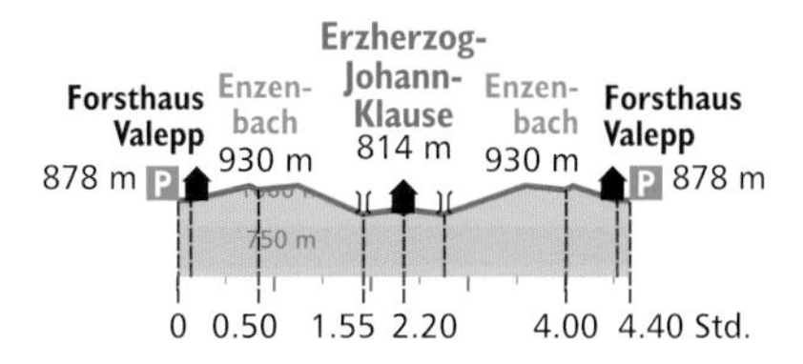

Üppige Vegetation über der Grundache.

ein erstes Drahtseil taucht auf, während der Weg nun felsiger wird. Plötzlich tut sich rechts ein beeindruckender Blick auf den Schinder und die Grundache auf, dann kommen wir bereits zur schwierigsten Stelle der Tour. Ohne Drahtseilsicherung, die in dem porösen Gestein nicht halten würde, geht es nun unterhalb der brüchigen Felsen auf einer Länge von etwa 30 m auf einem schmalen Pfad aus Bruchsteinen in schwindelerregender Höhe entlang. Hier müssen nicht nur die

Kinder absolut trittsicher und schwindelfrei sein. Wenig später erspähen wir rechts zwischen den Bäumen einen schönen Wasserfall, der auf der anderen Seite der Grundache über die Felsen hinabstürzt. Wir wandern erneut über eine Holzbrücke, dann geht es bald steil über den felsigen Steig, vorbei an mediterran anmutenden Pflanzen, hinab zur **Grundache**. Hier gibt es direkt am Bach mit seinen Gumpen wunderschöne Rastplätze, an einer Stelle wartet sogar ein echter Sandstrand auf die jungen Abenteurer, die von dieser schönen Stelle gar nicht mehr wegwollen.
Weiter geht es nun talauswärts am Bach entlang. Auf der Achenbrücke, 809 m, wechseln wir ans andere Ufer und erreichen 25 Min. später über einige Holzstege die **Erzherzog-Johann-Klause**, 814 m, mit ihrer kleinen Holzkapelle und dem gemütlichen Gastgarten.
Für den Rückweg wählen wir entweder den in der Variante beschriebenen Weg über die noch sichtbaren Reste der ehemaligen Klause oder gehen auf dem Hinweg wieder zurück.

HALLO KINDER,

wisst Ihr, was eine Klause ist? Klause kommt von dem lateinischen Wort »clausum«, und das heißt »geschlossen«. Und genau das wurde hier früher mit der Grundache gemacht: Ein Wehr – eine künstliche Anlage zum Aufstauen eines Baches – wurde mittels einer aus einzelnen Baumstämmen bestehenden Holzwand geschlossen. Auf diese Weise wurde die Grundache hinter der bereits im Jahr 1833 erbauten Klause mit bis zu 242.000 Kubikmetern Wasser angestaut. Anschließend ließ man rund 8000 im Wald geschlagene Baumstämme zu Wasser. Dann öffnete man die Klause und das Holz wurde mit dem riesigen Wasserschwall den Bachlauf hinabgetrieben. Mithilfe dieses künstlichen Hochwassers wurden die Stämme 30 Kilometer weit bis nach Kramsach befördert. Jährlich sind so bis zu 300.000 Baumstämme durch die Erzherzog-Johann-Klause getrieben worden.

25 Burgruine Hohenwaldeck, 1002 m

Von Fischhausen-Neuhaus nach Schliersee ab 6 J.

Mit dem Zug zum Geschichts- und Naturweg
Für die Kinder ist es ein tolles Erlebnis, auch einmal mit dem Zug einen Ausflug zu unternehmen, die Eltern werden staunen, wie entspannt gerade mit kleinen Wanderern die staufreie Anfahrt auf der Schiene sein kann. Für diese recht kurze und einfache Tour kommt uns ein weiterer Vorteil der Bahn zugute, brauchen wir doch nicht zum Ausgangspunkt zurückzuwandern, sondern können im Ort Schliersee noch einen schönen (Bade-)Nachmittag verbringen, bevor wir direkt von dort die Rückfahrt mit dem Zug antreten. Der naturbelassene Weg zur Burgruine Hohenwaldeck verläuft über herrliche Wiesen und Waldwege, die sich bestens für eine Barfußwanderung eignen. Seit Ende 2009 ist der Weg als spannender Geschichts- und Naturwanderweg mit 18 Tafeln angelegt, die uns bis zur Burgruine begleiten. Hier erfahren wir nicht nur Interessantes über die Burg, sondern lernen auch die heimische Tier- und Pflanzenwelt spielerisch kennen.

KURZINFO

Talort: 83727 Schliersee, 784 m.
Ausgangspunkt: Bahnhof Fischhausen-Neuhaus (Strecke München – Bayerischzell), 801 m. Von Miesbach kommend auf der B 307 durch den Ort Schliersee hindurch, am See entlang und etwa 700 m nach dem Seeende rechts zum Bahnhof Fischhausen-Neuhaus (Navi: 83727 Schliersee/Wendelsteinstr.).
Mit der Bahn: Mit der bayerischen Oberlandbahn (hält auch Donnersbergerbrücke und Harras) stündliche Verbindung, Fahrzeit ca. 1 Std. Hinweise: Der Zug wird auf der Fahrt dreigeteilt, bitte nur in den ersten Zugteil einsteigen (»Bayerischzell, Schliersee«). Die vor Fischhausen-Neuhaus liegende Station Schliersee ist ein Kopfbahnhof, d.h. hier wechselt der Zug seine Fahrtrichtung.
Gehzeit: 2.10 Std.
Höhenunterschied: 275 m im Aufstieg, 290 m im Abstieg.
Ausrüstung: Gut profilierte Trekkingsandalen. Der Weg kann auch größtenteils barfuß absolviert werden. Verpflegung, insbesondere Getränke, mitnehmen (Einkehr erst am Ende der Tour).
Anforderungen: Alter: ab 6 Jahren. Leichte Familienwanderung über Wiesenwege und bisweilen etwas feuchte Waldwege. An der Burgruine müssen kleinere Kinder an die Hand genommen werden.
Einkehr: Seehotel Schlierseer Hof mit großer Seeterrasse in Schliersee, kein Ruhetag, Tel. 08026/929200, www.schlierseerhof.de. Café Kögl am See in Fischhausen (an der Variante), Donnerstag und Freitag Ruhetag, Tel. 08026/6511, www.cafe-koegl.de.
Variante 1: Rückkehr nach Fischhausen-Neuhaus, entlang des »Baumwanderweges«. Hierzu biegen wir unterhalb von Oberleiten nicht nach rechts Richtung Schliersee ab, sondern bleiben auf der Teerstraße, bis wir die B 307 und den daneben verlaufenden Fußweg zurück nach Fischhausen-Neuhaus erreichen, den wir nach links einschlagen.
Variante 2: Rückfahrt mit dem Schiff vom Ort Schliersee nach Fischhausen. Bei schönem Wetter zu jeder vollen Stunde ab der Anlegestelle »vitalwelt« von 11–17 Uhr, bei Schlechtwetter nur um 13 und 14 Uhr, Infos unter www.schliersee.de/schiffahrt.html.
Tipp: Die Kräuterpädagogin Christiane Viehweger bietet für Kinder und Erwachsene in Schliersee kulinarische Wildkräuterwanderungen und geführte Barfußtouren an; www.wildkraeuterkuchl.de.

Am Wegesrand gibt es viel zu entdecken.

Vom **Bahnhof** gehen wir am Parkplatz vorbei in Fahrtrichtung des Zuges (in östlicher Richtung), überqueren die Gleise und biegen links in die Neuhauserstraße (B 307) ein. Auf dem Fußweg neben der Straße kommen wir an der Kirche St. Leonhard vorbei und überqueren etwa 500 m später die B 307, um nach rechts in den geteerten **Maxlrainerweg** einzubiegen. Wir gehen die kleine Straße etwa 100 m hinauf, dann weist uns, bevor die Straße nach rechts dreht, das Schild »Burgruine Hohenwaldeck W6« halblinks in einen Wiesenweg, an dem auch

HIGHLIGHTS

★ spannender, barfußtauglicher Geschichts- und Naturwanderweg zur Burgruine mit 18 Stationen
★ an der Oberleiten weidende Kühe und manchmal sogar Pferde
★ Minigolfanlage kurz bevor man den Schliersee erreicht
★ Bademöglichkeit mit flach abfallendem Ufer und Spielplatz im Ort Schliersee neben der Bootsanlegstelle »vitalwelt«; hier auch Elektro-, Tret- und Ruderbootverleih
★ Rückweg (siehe Variante 1) entlang des im Jahr 2009 neu errichteten »Baumwanderweges« – ein ganzjährig begehbarer, kinderwagentauglicher Rundweg um den See, der am Südwestufer beim Campingplatz Lido beginnt und über 19 Stationen mit interessanten Übersichtstafeln nach Schliersee zurückführt
★ Schifffahrt nach Fischhausen (siehe Variante 2) mit Zwischenstopp auf der Insel Wörth mit Aussichtsturm, Badeplätzen und Spielplatz

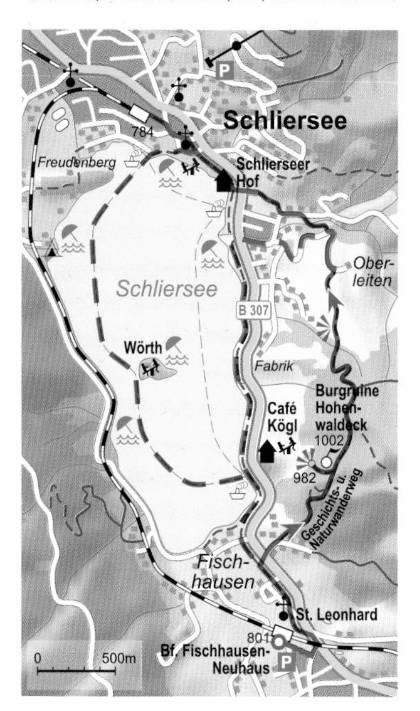

der **Geschichts- und Naturwanderweg** zur Burgruine beginnt. Wer seinen Kindern ein besonderes Naturerlebnis gönnen möchte, kann nun barfuß weiterwandern, der natürliche Untergrund ist auch für Barfußanfänger geeignet.

Wir marschieren geradewegs den Hang hinauf, schlupfen unter den ein-, zweimal im Weg stehenden mobilen Weidezäunen hindurch oder öffnen diese mittels des Plastikhandgriffs und kommen bald auf einem Karrenweg in den Wald. Der Weg teilt sich, wir wählen den rechten, schmaleren Weg, der uns über größere Steine durch den Wald bergan führt. Kurze Zeit später laufen beide Weg wieder zusammen. Nun wandern wir auf einem herrlichen, stellenweise gestuften Waldpfad hinauf und kommen zu einer Tafel, an der nicht nur die Kinder ihr Wissen über Wald und Flur unter Beweis stellen können. Die Lösungen stehen in Spiegelschrift darunter, wer kann die Wörter wohl am schnellsten entziffern?

Bald darauf verändert sich das Landschaftsbild, wir befinden uns nun in einem **Felssturzgebiet**. Sofort turnen die kleinen Abenteurer auf den moosbewachsenen Findlingen umher und balancieren auf den am Boden liegenden Baumstämmen. Ein spannender Ort, der die Fantasie der Kinder beflügelt. Ob sich hier wohl Elfen verstecken oder gar Hexen ihr Unwesen treiben?

Durch ein Holzfernrohr können wir an einer Station einen Blick hinauf

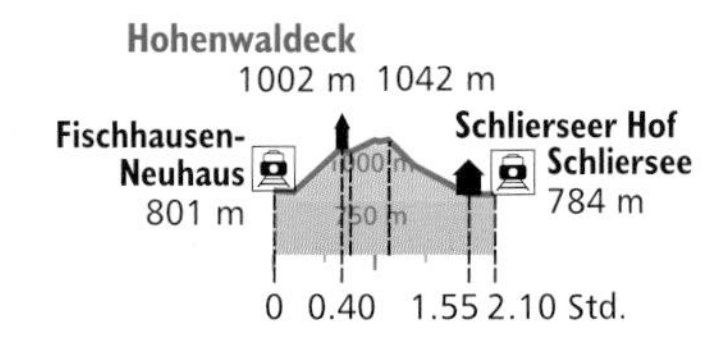

zu einer gut erhaltenen Burgmauer werfen, bevor uns ein Stück weiter der Wegweiser an einem Baum nach links weist. Jetzt ist es nicht mehr weit und wir erreichen in wenigen Minuten die **Burgruine Hohenwaldeck**, 1002 m, von der allerdings bis auf ein paar Mauern nicht mehr allzu viel übrig geblieben ist. Wir gehen über eine Holzbrücke und staunen über die verschlungenen Wurzeln, die sich eindrucksvoll zwischen den Mauersteinen hindurchschlängeln und zum Herumklettern einladen. Bei der Erkundung der Burgruine sollte man kleinere Kinder aber unbedingt an die Hand nehmen, da das Gelände hier stellenweise steil abfällt.

Zum **Aussichtsplatz**, 982 m, mit Holzkreuz, Sitzbänken und einem großen Stein geht es nun noch ein Stück hinunter. Malerisch blickt man von hier oben auf den in der Sonne glitzernden Schliersee und die dahinterliegenden Berge.

Nach einer ausgiebigen Rast wandern wir wieder zu dem letzten Wegweiser zurück und wenden uns nun nach links Richtung »Oberleiten – Schliersee«. Der Pfad steigt ein Stück an, dann geht es wieder ein Stück hinunter, bevor wir über einen weiteren kleinen Anstieg mit 1042 m den für heute höchsten Punkt erreichen. Nun wandern wir abwärts und kommen bald über eine Holzbrücke mit einem Geländer. Kurz darauf zweigt unser Weg nach links hinunter ab (»Oberleiten – Schliersee«). An einer späteren Verzweigung wählen wir ebenfalls

Die Natur erobert sich zwischen den Burgmauern ihr Terrain zurück.

HALLO KINDER,

wisst Ihr, was ein Felssturz ist? Das ist eigentlich so etwas wie ein Steinschlag, nur mit viel größeren Trümmern. Zum Felssturz kommt es, wenn der innere Zusammenhalt größerer Gesteinsgruppen an einer Felswand verloren geht. Das kann passieren, wenn ein Erdbeben oder gefrierendes, sich ausdehnendes Wasser Felsteile löst, die andere Gesteinsschichten stützen. Es wird eine Steinlawine ausgelöst.

Im Jahr 1480 hat ein solcher Felssturz große Teile der Burg Hohenwaldeck, die zwischen 1150 und 1250 erbaut wurde, zerstört. Damals blieb nur der Turm der Burg unversehrt. Aber auch dieser wurde im Laufe der Jahrhunderte durch Wind, Regen, Schnee, Eis und die Wurzeln der Bäume, die das Mauerwerk wackelig machten, abgetragen. Die Spuren des gewaltigen Felssturzes kann man heute noch an den vielen mittlerweile mit Moos bewachsenen Findlingen sehen, die unterhalb der Burg im Wald verstreut liegen.

Aussichtsloge überm Schliersee.

den linken, besser ausgetretenen Pfad, der sich bald in einen breiteren Kiesweg wandelt. Wir erreichen eine wunderschöne, sonnige Weide mit freiem Blick auf den See und den Ort Schliersee. Nun marschieren wir rechts eines Zaunes direkt über die Wiesen weglos nach Norden, gehen nach etwa 300 m an einem Durchlass auf die andere Seite des Zaunes, folgen dem Trampelpfad Richtung Schliersee, passieren ein Drehkreuz und kommen unterhalb des Anwesens in **Oberleiten** auf eine Asphaltstraße. Hier biegen wir nach links ein. Nach 5 Min. zweigt rechts ein kleiner Weg (»Schliersee«) ab. Wir wandern den Pfad hinunter, kommen auf einen breiteren Weg und überqueren auf einer Brücke einen Bach. Mittlerweile sind wir auf einer Teerstraße, ignorieren eine Abzweigung nach rechts Richtung »Ledersberg/Ortsmitte«, gehen geradeaus weiter und schwenken an der nächsten Möglichkeit rechts in einen unbeschilderten kleinen Teerweg, der an der Minigolfanlage vorbei zum See und zum gemütlichen Biergarten des **Schlierseer Hofes** führt.

Von hier marschieren wir auf dem Fußweg neben der Straße nach **Schliersee** hinein und biegen, wenn wir zum See mit Bademöglichkeit, Spielplatz und Bootsanlegestelle wollen, nach etwa 300 m links am Hinweisschild ab. Gehen wir lieber zum Bahnhof, bleiben wir auf dem Gehweg neben der Straße und biegen erst ein Stück später links in die Lautererstraße ein. Wir folgen dieser ein Stück und kommen dann auf einem Fußweg, der zwischen der Apotheke und dem Café Lerch verläuft, direkt zum **Bahnhof Schliersee**, von dem aus wir die Heimreise antreten können.

Bergcafé Siglhof, 995 m

Von Bayrischzell über den Wasserfall ab 6 J.

Almidylle mit Spielplatz unterm Wendelstein

Auf der herrlich gelegenen Alm beim Bergcafé Siglhof ist noch vieles wie zu Zeiten König Maximilians II., der einst hoch zu Ross auf den Wendelstein ritt: Das Vieh grast friedlich auf den Weiden und es herrscht noch wahre Ruhe und Beschaulichkeit. Die Kinder sind begeistert von dem schönen Spielplatz mit seinem ausrangierten Traktor und der alten Original-Gondel. Sie können auf den weiten Wiesen herumtoben, während es sich die Erwachsenen in dem sonnigen Biergarten auf der Wiese gemütlich machen. Wenn gerade Unterrichtszeit ist, kann man dann gemeinsam den Flugschülern der Drachenfliegerschule dabei zusehen, wie sie ihre ersten Flugversuche wagen und dabei schon mal den einen oder anderen Wanderer erschrecken, der gerade des Weges kommt.

KURZINFO

Ausgangspunkt: Bahnhof Bayrischzell, 805 m. Von Schliersee kommend nach links von der B 307 nach Bayrischzell abfahren und geradeaus weiter bis zum großen Parkplatz am Bahnhof (Navi: 83735 Bayrischzell / Bahnhofstr.).
Mit der Bahn: Mit der Bayerischen Oberlandbahn (BOB) besteht eine stündliche Zug-Direktverbindung von München Hbf. (Halt auch Donnersbergerbrücke und Harras) bis nach Bayrischzell.
Gehzeit: 2 Std.
Höhenunterschied: 240 m.
Ausrüstung: Gut profilierte Trekkingsandalen oder Bergschuhe, Wechselkleidung.
Anforderungen: Alter: ab 6 Jahren. Leichte Wanderung überwiegend über kleine Wander- und Bergpfade, die letzten 10 Min. bis zum Bergcafé Siglhof über einen schönen Wiesenweg.
Einkehr: Bergcafé Siglhof, geöffnet vom 1. Mai bis 31. Okt., kein Ruhetag, 3 Gästezimmer und 2 Ferienwohnungen, Tel. 08023/679, www.siglhof.com.
Variante: Als Abstiegsvariante kann man auch zur »Grünen Gumpe« zurückgehen und noch vor Überquerung des Baches rechts dem Schild »Bayrischzell über Aussichtsbank« folgen. Der Erd-/ Wiesenweg führt erst leicht hinunter, dann geht es noch einmal ein Stück bergauf. In einer Rechtskurve kann man ein paar Meter auf kleinem Pfad zur Aussichtsbank mit Blick auf Bayrischzell hinaufgehen. Weiter geht es aber auf breitem, bald schmaler werdendem Weg. An einer Weggabelung wählen wir den linken, nach unten führenden Weg und treffen nach 5 Min. auf den als Hauptroute beschriebenen Abstiegsweg.
Tipp: Marinus Fischer aus Bayrischzell bietet Lamatrekkingtouren mit den drei Lamas Lukas, Sepp und Finzi an; Infos unter Tel. 08023/1300.

Der Traktor weckt die Fantasie der Kinder.

Am **Bahnhof Bayrischzell** gehen wir an den Prellböcken und dem Zugang zu Gleis 2 vorbei, steigen schräg über die stillgelegten Gleise und biegen nach links in die asphaltierte Kranzerstraße ein. Wir folgen den bald auftauchenden Hinweisschildern zum Wasserfall, kommen am Haus »Glück am Bach« vorbei und biegen kurze Zeit später nach rechts in einen geschotterten Weg ein, der direkt in ein Anwesen führt. Wir gehen mitten hindurch, der Weg wird schmaler und wir wandern (Beschilderung: Hochkreuth T2, T1) leicht ansteigend hinauf. Nach wenigen Metern weist uns ein Schild nach rechts zum **Wasserfall** und zum Parapluie. Über Steinstufen geht es jetzt hinauf, dann wieder ein Stück hinunter und schon überqueren wir auf einer Holzbrücke den Bach, der sich an dieser Stelle in grün schimmernden Gumpen sammelt, über kleine Wasserfälle in die nächsten Gumpen fällt, um dann direkt hinter der Brücke 10 m in die Tiefe zu stürzen.

Nach der Brücke geht es ein paar Meter steiler hinauf. Noch vor einer

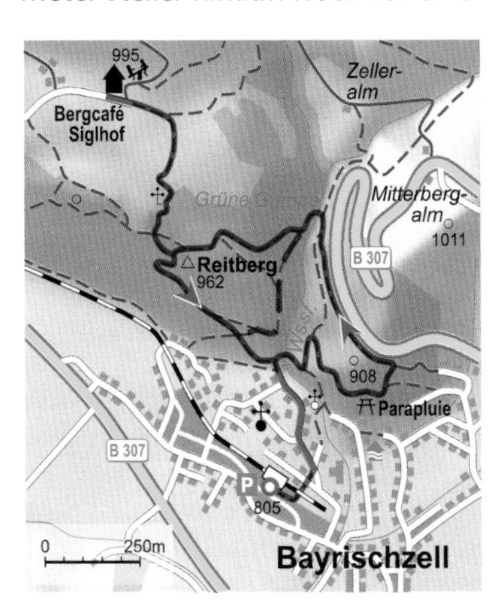

HIGHLIGHTS

- ★Wasserfall mit Gumpen zu Beginn der Tour
- ★Spielmöglichkeit im seichten Bach oberhalb der »Grünen Gumpe«
- ★weite Almwiesen zum Toben
- ★schöner Spielplatz beim Bergcafé Siglhof mit Rutsche, Schaukel, Aussichtsturm und Sandkiste sowie einer am Boden stehenden ausrangierten Gondel und einem alten Traktor, bei dem die kleinen Wanderer die Motorhaube selbstständig öffnen dürfen

Bank biegen wir nach links in einen kleinen unbeschilderten Erdpfad ein. Dieser kürzt den eigentlichen Wanderweg ab, der nach der Bank nach links führt. Schnell gewinnen wir an Höhe, treffen wieder auf den Hauptweg und kommen nun an einigen gemütlichen Rastbänken vorbei, bevor wir einen Zaundurchlass erreichen. Wir gehen nicht durch diesen hindurch und auf dem kürzesten Weg hinauf, sondern folgen dem Schild zum Parapluie direkt vor dem Zaundurchlass nach rechts. Der schmale Weg verläuft relativ eben am Berg entlang bis zum **Aussichtspunkt**, dessen überdachter Brotzeitplatz in seiner Beschaffenheit tatsächlich einem Regenschirm ähnelt und zu einer kleinen Rast einlädt.

Wir wandern den Weg weiter bergauf, wählen an einer Verzweigung den linken, aufwärts führenden Pfad und schwenken bald nach links in einen breiteren Weg. An einem Schilderbaum folgen wir dem Schild »Osterhofen über Grüne Gumpe – Hochkreut T1« geradeaus weiter. Wir befinden uns nun etwas

Nach den Gumpen stürzt der Bach als tosender Wasserfall in die Tiefe.

So bleiben die Schuhe trocken!

unterhalb der Tatzelwurmstraße, auf der die Motorradfahrer manchmal in richtigen Konvois rauf- und runterbrettern und dabei die Ruhe doch erheblich beeinträchtigen.
Nach kurzer Zeit führt uns der Weg bergab, von der Straße weg, direkt zu einem Bach, den wir auf einer Holzbrücke überqueren. Etwa 30 m bachabwärts fällt das Wasser eine Stufe hinunter, an deren unterem Ende sich vor 20 Jahren noch das Wasser in der **»Grünen Gumpe«** sammelte. Mittlerweile ist diese Gumpe durch das Geschiebe des Baches zugeschüttet, es bestehen aber Überlegungen seitens der Gemeinde, die Gumpe wieder auszubaggern. Hier an der Brücke lässt es sich herrlich am Bach spielen – also am besten schnell die Schuhe und Strümpfe ausgezogen und hinein in das kühle Nass. Zum Glück steht auf der anderen Seite eine Rastbank für die Eltern, denn die Kinder werden so schnell nicht weiter wollen.
Nach dem Bach weist uns das Schild »Osterhofen über Hochkreuth« den Weg aufwärts (nach links ginge es wieder hinunter nach Bayerischzell; siehe Variante). Nun heißt es aufgepasst, da wir bereits nach etwa 50 m unbeschildert nach links abbiegen müssen. Ein kurzes Stück später taucht aber schon der nächste Wegweiser »Hochkreuth« auf, der uns zeigt, dass wir hier richtig sind. Der Weg wird nun schnell zu einem schmalen Waldpfad, auf dem man wunderschön barfuß laufen kann. Wir überqueren einen breiteren Weg, halten uns an einer unbeschilderten Weggabelung links und

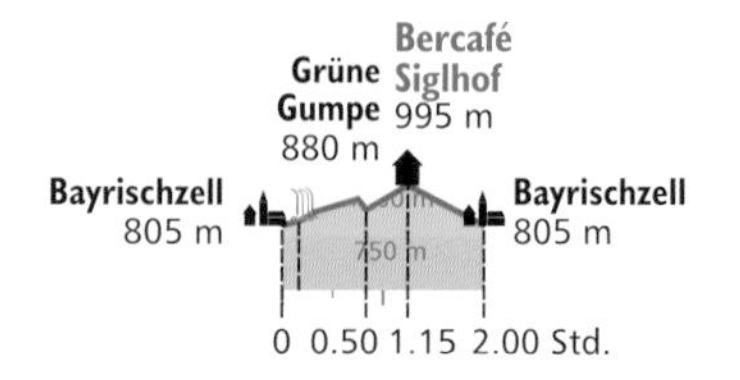

kommen zu einem Schilderbaum. Nach links geht es auf dem kürzesten Weg wieder hinunter nach Bayrischzell (unser Rückweg), wir aber gehen geradeaus weiter. Bald erblicken wir das Schild »Bergcafé Siglhof«, treten nach einer letzten kurzen Steigung aus dem Wald und stehen mitten in einer herrlichen Almlandschaft mit Blick auf den Wendelstein. Links sehen wir schon das Ziel unserer Wanderung und über einen wunderschönen Wiesenweg erreichen wir nach 1.15 Std. Gesamtgehzeit das **Bergcafé Siglhof**, 995 m. Auf den weiten Wiesen und dem Spielplatz können die Kinder gefahrlos toben, während die Eltern vom gemütlichen Biergarten aus die schöne Aussicht genießen.

Für den Abstieg laufen wir den Weg wieder zurück bis zur erwähnten Abzweigung nach Bayrischzell. Von hier ist es nun auf dem schmalen Bergpfad nur noch eine knappe halbe Stunde, bis wir ganz unten auf die Abzweigung zum Wasserfall treffen und kurze Zeit später wieder den **Bahnhof** erreichen.

Lamatrekking am Bergcafé.

HALLO KINDER,

Am Café Siglhof spielt jedes Jahr zur Saisoneröffnung am 1. Mai ab 13 Uhr eine zünftige Musikgruppe auf, dazu gibt es Tanzvorführungen und Schuhplattler einer Trachtengruppe zu sehen. Begleitet werden die Tänzer von verschiedenen Instrumenten wie Blechbläsern, Akkordeon, Harfe, aber auch Geige, Klarinette oder Hackbrett. Wenn Ihr Glück habt, kommt Ihr sogar in den Genuss eines ganz besonderen »Instruments«, welches man nur in der Volksmusik hört, und das sehr selten.

Oder habt Ihr schon mal mit zwei Löffeln musiziert, die gegen verschiedene Körperteile geschlagen werden und so verschiedene Töne von sich geben? Lauscht, staunt und versucht, es zu Hause nachzumachen: Ihr nehmt zwei Esslöffel, Vertiefungen nach oben, klemmt den einen zwischen Mittel- und Zeigefinger und legt den anderen oben drauf. Der Daumen hält den oberen Löffel fest, die restlichen Finger geben eine leichte Führungsschiene vor (nicht festhalten!). Wenn Ihr jetzt rhythmisch mit den Löffeln auf die andere Handfläche klopft, habt Ihr mit ein bisschen Übung bald eine einfache Begleitung, die sich leicht dadurch abwandeln lässt, dass die Löffel ab und an von der Handfläche auf den Oberschenkel gezogen werden. Viel Spaß beim Üben, aber nicht die Suppe kalt werden lassen!

27 Pendling, 1563 m

Über Kufsteiner Haus und Kalaalm ab 8 J.

Geheimwege am Kufsteiner Hausberg
Der Pendling hoch über Kufstein mit seinem herrlichen Ausblick ins Inntal und auf den Wilden Kaiser ist schon längst kein Geheimtipp mehr, wohl aber die kleinen Schleichwege abseits der Schotterpisten, die die Wanderung für die Kinder erst zu einem richtigen Abenteuer werden lassen. Die schöne Familienwanderung wartet zudem gleich mit drei gemütlichen Einkehrstationen auf. Das Kufsteiner Haus mit seinen Familienzimmern eignet sich bestens für eine erste Gipfelübernachtung mit dem Nachwuchs, während von der Kalaalm Kinder und Erwachsene mit den bereitstehenden Mountain-Carts die Schotterstraße hinunterdüsen können, um dann im Gasthof Schneeberg gleich neben dem kleinen Spielplatz und dem Ziegengehege den Tag bei einem guten Essen ausklingen zu lassen. Im Winter ist die Abfahrt von der Kalaalm eine beliebte Rodelstrecke.

KURZINFO

Talort: A-6335 Vorderthiersee, 678 m.
Ausgangspunkt: Gebührenpflichtiger Großparkplatz (2 €) am Gasthof Schneeberg, 980 m). Von der A 93 Ausfahrt »Kufstein Nord« kommend in Vorderthiersee Richtung Hinterthiersee, nach dem Gasthof Pfarrwirt links zum Gasthof Schneeberg hinauf. (Navi: A-6335 Thiersee / Schneeberg 50).
Gehzeit: 4.15 Std.
Höhenunterschied: 660 m.
Ausrüstung: Bergschuhe.
Anforderungen: Alter: ab 8 Jahren. Wechsel zwischen kleinen Waldpfaden, guten Bergsteigen und kurzen Strecken auf einer Forststraße. Teilweise Orientierungssinn und Trittsicherheit erforderlich, der Weg ist stellenweise recht steil. In Gipfelnähe und am Pendlinghaus ist Vorsicht geboten, hier geht es 1000 m steil in die Tiefe.
Einkehr: Kufsteiner Haus (Pendlinghaus), 1537 m, geöffnet 1. Mai bis 1. Nov., kein Ruhetag, 50 Schlafplätze, Tel. 0043/5376/5374. Kalaalm, 1370 m, ganzjährig geöffnet außer Anfang Nov. bis Mitte Dez., Montag Ruhetag (von März bis Nov.), 12 Betten, Tel. 0043/5376/5088. Gasthof Schneeberg, 980 m, ganzjährig geöffnet außer Anfang Nov. bis Mitte Dez., Donnerstag Ruhetag außer Juli bis Sept., 45 Betten, eine Ferienwohnung, alle Gerichte auf der Karte gibt es auch als Kindergerichte, Tel. 0043/5376/5288. Informationen zu allen Gasthäusern unter www.thierseetal.com/schneeberg.

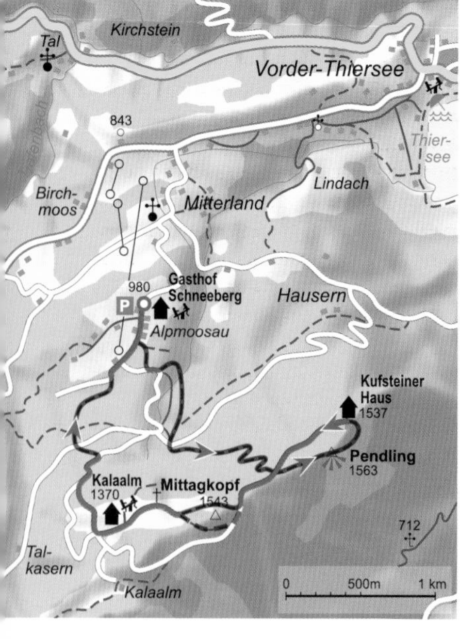

Kufsteiner Haus mit Blick übers Inntal, rechts der Zahme Kaiser.

Vom Großparkplatz wandern wir rechts am **Gasthof Schneeberg**, 980 m vorbei, der Beschilderung »Pendling, Kalaalm« folgend, die Teerstraße hinauf. Diese verlassen wir aber bereits nach 5 Min. in der ersten Rechtskurve nach links in einen deutlichen, unbeschilderten Pfad. An der nächsten Verzweigung halten wir uns rechts und steigen durch den Wald bergan, bis wir auf die breite Forststraße treffen, in die die Teerstraße, die wir eben verlassen haben, übergegangen ist. Wir marschieren die Forststraße nun einige hundert Meter geradeaus hinauf, verlassen diese aber erneut in der nächsten Rechtskurve nach links. Von den beiden nun möglichen Wegen wählen wir hier nicht den steinigen Weg, der geradeaus hinaufführt, sondern wenden uns ganz links auf den kleineren Waldweg. Dieser wird zu einem Pfad und führt uns mit roten Markierungen an Bäumen auf kurzzeitig etwas feuchtem Untergrund steil durch den lichten Wald den Hang hinauf. Bald erreichen wir einen quer verlaufenden Pfad, schwenken hier nach rechts und stoßen schnell auf den ausgeschilderten »Normalweg«, der von der Forststraße heraufführt. Wir biegen links ein, lassen uns von der Vielzahl der Schilder nicht verwirren und gehen nun geradeaus den grobsteinigen Weg weiter, der sich bald zu einem herrlichen, nicht allzu schmalen Bergsteig mausert und uns auf der schattigen Nordwestseite des Berges zügig durch Misch-

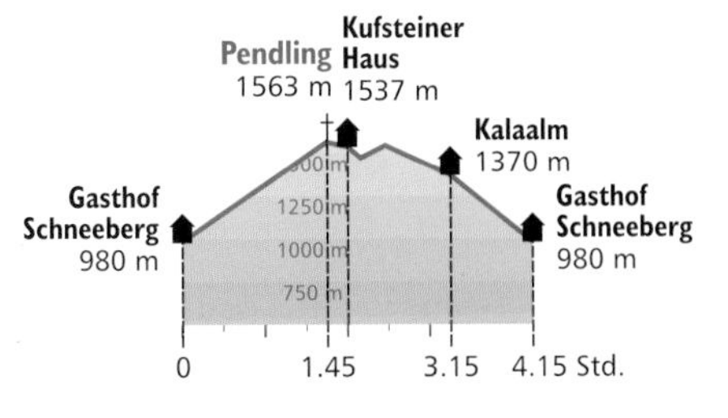

Ziegenfütterung am Gasthof Schneeberg.

wald hinaufführt. Hier kommen nicht nur die jungen Gipfelstürmer mächtig ins Schwitzen. Wir erreichen eine senkrechte **Felswand**, umgehen diese rechts und stoßen bald auf die breite Forststraße, die wir überqueren. Auf der anderen Seite wandern wir nun überwiegend in der Sonne über Stock und Stein, der Beschilderung »Pendling über Fußweg« folgend, durch lichten Wald. Kurz darauf kommen wir bereits am ersten Gipfelkreuz des **Pendling**, 1563 m, vorbei. Hier laden große Felsbrocken zum Rasten ein, während man den grandiosen Blick auf die Alpenwelt Österreichs mit dem Großglockner und dem Großvenediger genießen kann. Nur wenige Minuten später erreichen wir entlang des Kammes das nahezu auf gleicher Höhe befindliche **zweite Gipfelkreuz**. Mit Kindern ist Vorsicht geboten, da der Pendling nicht weit vom Kreuz 1000 m steil zum Inntal hin abbricht. Auch hier ist man überwältigt von der fantastischen Aussicht auf die Berge und das friedlich im Tal schlummernde Kufstein. Nun geht es noch ein Stück auf dem Kamm hinunter zum **Kufsteiner Haus**, 1537 m, in dem man bei einem herrlichen Blick ins Inntal gemütlich einkehren kann.
Für den Rückweg gehen wir rechts des Kufsteiner Hauses über die Terrasse und wandern den Forstweg hinunter. An der Stelle, an der wir beim Aufstieg die Schotterpiste überquert haben, marschieren wir nun geradeaus, erst fast eben, dann stark ansteigend, weiter. Wer etwas

HALLO KINDER,

blickt man vom Pendling hinunter nach Kufstein, wird's einem richtig schwindlig, weil es so tief hinuntergeht und das Städtchen ausschaut, als wäre es Teil einer großen Modellbahnanlage. Von Kufstein hingegen scheint es unmöglich, diesen Berg mit seiner senkrecht aufragenden Felswand überhaupt zu erwandern. Diese Tatsache legte wohl den Grundstein für das Pendlinghaus, denn angeblich ließ vor gut 100 Jahren ein Kufsteiner Fellhändler am Stammtisch verlauten, er werde da oben einmal eine Hütte bauen. Und da ihm das keiner glaubte, wollte er es den Stammtischbrüdern zeigen und schloss kurzerhand eine Wette ab. Dann kaufte er Grund und Boden und machte sich ans Werk. Dass er tatsächlich gewann, davon könnt Ihr Euch selbst überzeugen, denn das Hauptgebäude des Kufsteiner Hauses, wie das Pendlinghaus auch genannt wird, ist heute noch so erhalten, wie der Fellhändler es nach vollbrachter Tat seinen staunenden Stammtischlern vorführte. Wer weiß, vielleicht wurde ja damals der Stammtisch von ganz unten nach ganz oben auf den Pendling verlegt.

Orientierungssinn mitbringt, kann wenige Meter vor der nun folgenden starken Rechtskurve nach rechts in einen kleinen unbeschilderten Pfad abzweigen, der erst auf den zweiten Blick zu erkennen ist (verblasste rote Markierung an einem Baum), und diesen zunächst einmal hinaufmarschieren. An Verzweigungen hält man sich links, bald geht es auf schönem Waldboden hinunter und wir stoßen nach etwa 15 Min. auf einen von links herführenden Weg mit rot-weißer Markierung. Auf diesem Weg kommen die Wanderer, die die Schotterstraße etwas später als wir, an dem nach rechts weisenden Schild zur Kalaalm, verlassen haben.

Wir wandern nun – uns leicht rechts haltend – auf dem bisweilen holprigen Waldpfad mit den unterschiedlichsten Markierungen (schwarz-weiß, rote Punkte, rot-weiße Schilder) hinunter durch den Wald und kommen über einen kurzen Hohlweg auf eine große **Almwiese**, die sich bestens für eine kleine Rast und zum Herumtoben anbietet. Nun muss man allerdings gut aufpassen, da hier nur ein Schild angebracht wurde, das uns rechts zu dem nur ein paar Minuten entfernten Heimkehrerkreuz mit seiner schönen Aussicht weist. Der Weg zur Kalaalm zweigt noch vor diesem Schild nach links auf einen nicht allzu deutlichen Pfad ab. Nach 5 Min. geht es noch einmal kurz in den Wald, dann kommen wir auf einen breiten Forstweg, der uns nach links zur nahe gelegenen **Kalaalm**, 1370 m, mit Trampolin, kleinem Spielplatz und schöner Aussicht auf den doppelgipfeligen Guffert bringt. Von hier kann man mit den bereitstehenden Mountain-Carts zum Gasthof Schneeberg hinunterdüsen. Wer lieber zu Fuß geht, biegt an der Kalaalm (davorstehend) links in einen Erdweg ein (Beschilderung »Schneeberg«) und wandert über die Wiesen hinunter. Wir stoßen auf die Forststraße, die wir abgekürzt haben, biegen rechts ein und marschieren ein Stück hinunter, bevor wir die Straße wieder nach links in einen Pfad (»Schneeberg«) verlassen. An der nächsten unbeschilderten Abzweigung gehen wir geradeaus weiter, überqueren bald einen Forstweg, kommen wieder auf einem Pfad in den Wald und erreichen schließlich über den Beginn des Anstiegsweges den **Gasthof Schneeberg** mit Ziegengehege und gut bürgerlicher Küche.

HIGHLIGHTS

- ★ großes Trampolin hinter dem Kufsteiner Haus (kleinere Kinder wegen dem steil abfallenden Gelände nur unter Aufsicht!)
- ★ kleiner Spielplatz mit Rutsche und Schaukel sowie ein großes Trampolin an der Kalaalm
- ★ rasante Talfahrt mit Mountain-Carts von der Kalaalm über die Forststraße zum Gasthof Schneeberg – Kinder ab ca. 10 Jahren (Größe entscheidet) und Erwachsene, kleinere Kinder können von einem Erwachsenen mitgenommen werden; 10 € pro Cart
- ★ am Gasthof Schneeberg kleiner Spielplatz (Schaukeln, Wippe) und ein Ziegengehege, in dem auch einige Hasen untergebracht sind – wer freundlich fragt, bekommt in der Küche des Gasthofes Gemüseschalen zur Fütterung der Tiere
- ★ im Ort Thiersee Strandbad am wegen seiner Sauberkeit ausgezeichneten Thiersee; vor dem Strandbad toller Röhrenspielplatz mit kleinem Barfußparcour; links vom Kassenhäuschen hinter der Liegewiese großer Spielplatz mit Trampolin, Schaukeln, Rutschen und Klettermöglichkeiten

28 Hocheck, 900 m

Von Oberaudorf

ab 4 J.

Gebirgsachterbahn und Gletscherblick

Wo sich der Inn den Weg aus den Tiroler Alpen ins weite Tal von Kiefersfelden und Oberaudorf bahnt, wachsen zwei wuchtige Gebirgsmassive in die Höhe: der Zahme Kaiser und sein wilder Bruder. Diese Felsformationen standen Pate bei der Namensgebung einer ganzen Region – dem Kaiser-Reich, das wir heute für eine äußerst kurzweilige Wanderung, die sich auch schon für die ganz Kleinen hervorragend eignet, besuchen werden. Wir schweben von Oberaudorf bequem mit dem Vierer-Sessellift über saftig grüne Wiesen nach oben, die Kinder füttern Ziegen, toben auf dem Abenteuerspielplatz und erklimmen mit dem Hocheck einen kleinen Gipfel. Von dort oben hat man nicht nur eine fantastische Aussicht auf das Kaisergebirge, sondern kann, wenn das Wetter mitspielt, sogar bis zu den Gletschern des Großvenedigers schauen. Zum krönenden Abschluss sausen wir schließlich durch den 360°-Kreisel rasant mit der Sommerrodelbahn wieder ins Tal hinunter. Im Winter kann man auf der einzigen TÜV-geprüften Winterrodelbahn Deutschlands (getrennter Aufstiegs- und Abfahrtsweg) von der Bergstation ins Tal hinunterfahren.

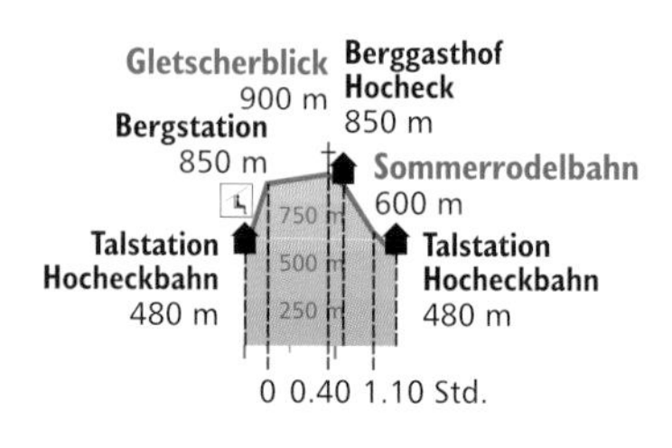

Abenteuerspielplatz am Berggasthof Hocheck.

KURZINFO

Ausgangspunkt: Talstation der Hocheck-Bergbahn, 480 m. Auf der A 93 bis zur Ausfahrt Oberaudorf. Im Ort der Beschilderung zur Sommerrodelbahn folgen (Navi: 83080 Oberaudorf / Carl-Hagen-Str. 7).
Gehzeit: 1.10 Std.
Höhenunterschied: 50 m im Aufstieg, 300 m im Abstieg.
Ausrüstung: Trekkingsandalen.
Anforderungen: Alter: ab 4 Jahren. Leichte Einstiegswanderung überwiegend auf einem Almwiesenpfad; auf kleiner Teerstraße hinunter zur Mittelstation.
Bergbahn: Hocheck-Bergbahn, von Pfingsten bis Mitte Okt. täglicher Betrieb 9.30–17 Uhr, danach nur an den Wochenenden geöffnet. Dieselben Öffnungszeiten gelten für die Sommerrodelbahn, kein Rodelbetrieb bei (einsetzendem) Regen. Kinder ab 8 Jahren dürfen auf der Sommerrodelbahn alleine ins Tal sausen. Kinder bis 5 Jahre fahren mit der Berg- und Sommerrodelbahn (in einem Doppelschlitten) kostenlos. Winterbetrieb siehe www.hocheck.com, Tel. 08033/3035-0.
Einkehr: Berggasthof Hocheck, 850 m, Freitag Ruhetag, außer bei schönem Wetter im August, dann täglich geöffnet, im Winter kein Ruhetag. Sonnenterrasse, Übernachtungsmöglichkeit in Ferienwohnungen für 1–6 Personen, Tel. 08033/1495, www.hocheck.de. Wenger Stadl, 620 m, geöffnet Freitag bis Sonntag ab 11.30 Uhr, Tel. 08033/3686.
An der Talstation: Almrausch, im Sommer Montag Ruhetag, im Winter täglich geöffnet, Tel. 08033/3089996. Café-Gasthof Wildbachstüberl, Dienstag Ruhetag, 24.12. geschlossen, Winter durchgehend geöffnet, Tel. 08033/2137.

HIGHLIGHTS

- ★ Bungee-Trampolin-Anlage, große Kletterspinne sowie Schaukeln und eine Rutsche an der Talstation
- ★ Abenteuer-Spielplatz an der Bergstation beim Berggasthof Hocheck mit Wackelbrücke, Balanciertau, Dreier-Schaukel und großer Kurvenrutsche mit kleiner Kletterwand
- ★ Ziegen- und Schafgehege
- ★ beim Wenger Stadl Spielplatz mit zwei Schaukeln, einer Rutsche und einem Spielhaus – für ganz kleine Wanderzwerge
- ★ 1100 m lange Sommerrodelbahn mit Brücken, mehreren Steilkurven, Unterführungen und 360°-Kreisel
- ★ nach der Tour: Besuch im Strandbad Luegsteinsee in Oberaudorf mit einer Riesenwasserrutsche

Der breite, 2006 umgebaute **Vierer-Sessellift**, der – einer Gondel gleich – zu Beginn und zum Ende der Fahrt ausgeklinkt wird, fast zum Stehen kommt und somit auch mit kleinen Kindern einen reibungslosen Ein- und Ausstieg gewährleistet, lässt uns in luftiger Höhe hinauf zum Hocheck schweben. Bis zur Mittelstation beobachten wir die mal schneller, mal langsamer hinabfahrenden Rodler, schließen Wetten ab, wer von uns wohl später am schnellsten ist, und staunen über den 360°-Kreisel der Sommerrodelbahn. An der **Bergstation** angekommen erblicken wir bereits das Gipfelkreuz etwa 50 m über uns. Bevor wir jedoch loswandern können, haben die Kinder schon den schönen Abenteuerspielplatz des Berggasthofes ins Visier genommen und wollen sich dort erst einmal austoben. Vom Spielplatz wandern wir noch wenige Meter die Teerstraße hinauf, dann zweigt im spitzen Winkel links ein gemütlicher Weg mit einem Wiesenmittelstreifen (Beschilderung »Gletscherblick«) ab, der an einem **Ziegengehege** vorbeiführt. Nachdem die Ziegen ausgiebig gefüttert und gestreichelt worden sind, führt uns der Weg leicht bergauf. Noch vor einem Gatter folgen wir der Beschilderung »Gletscherblick« nach rechts auf einem Trampelpfad über die Wiese, passieren ein Drehkreuz, halten uns links und wandern, bald mit Blick auf den mächtigen Brünnstein, gemächlich bergan. Alsbald macht der Pfad eine scharfe Rechtskurve und schlängelt sich als schöner Wiesenpfad hinauf. Hier müssen wir einfach unsere Schuhe in den Rucksack packen und barfuß weiterwandern, der samtig-weiche Untergrund ist einfach zu verlockend. Das Barfußlaufen weckt sofort die Lebensgeister der Kinder, es macht Spaß zu sehen, wie schnell die kleinen Gipfelstürmer ohne Schuhe und Strümpfe den Hang hinaufgelaufen sind. Wir kommen an gemütlichen Aussichtsbänken vorbei und sind überwältigt von der wunderbaren Aussicht auf den Zahmen und den Wilden Kaiser sowie dem schönen Blick hinüber in die Bayerischen Alpen und – bei guter Sicht – sogar auf den Großvenediger im Süden. Fast eben erreichen wir immer noch auf einem traumhaften Erd- und Wiesenpfad das **Gipfelkreuz »Gletscherblick«**, 900 m, an dem wir uns unsere Brotzeit schmecken lassen oder einen Blick durch das aufgestellte Fernrohr werfen können.

Für den Abstieg (Beschilderung: »Leichter Abstieg zum Berggasthof Hocheck«) wandern wir nun links den schmalen Pfad hinab, halten uns dann rechts, gehen an einer Bank vorbei auf die Häuser des Berggasthofs zu und gehen an einem Schafgehege entlang zu einer Weggabelung. Wer gern noch in dem gemütlichen **Berggasthof Hocheck**, 850 m, mit seiner Sonnenterrasse einkehren will, bleibt auf dem Weg und geht geradeaus weiter.

HALLO KINDER,

Ziegen sind nicht gerne alleine, es sind Herdentiere. In einer Herde gibt es eine Rangordnung, das heißt, es gibt wichtige Ziegen und solche, die sind noch wichtiger – und genau die dürfen auch als erstes an den Futterplatz. Die anderen bekommen, was übrig bleibt. Deshalb werden die kleinen Ziegen, wenn Ihr sie füttern wollt, auch immer von den größeren vertrieben. Diese Baby-Ziegen nennt man Zicklein. Sie kommen nach 150 Tagen mit einem Gewicht von etwa 4 Kilogramm auf die Welt. Zwar haben sie noch keine Hörner, aber sie können schon nach wenigen Minuten laufen und springen. Gras fressen sie, sobald sie drei Monate alt sind, bis dahin werden sie von ihrer Mutter gesäugt.

Ziegen sind nicht nur meist in Bewegung und wandern im Gehege hin und her, um Futter zu suchen, sondern sie sind auch, wie Ihr vielleicht sehen könnt, ziemlich pfiffig und finden hier am Hocheck stets auch noch das kleinste Schlupfloch, um aus dem Gehege auszubüchsen.

Habt Ihr schon einmal beobachtet, dass Ziegen dicht an dicht auf dem Dach ihres Unterschlupfhäuschens schlafen? Von da oben haben sie die beste Aussicht und können drohende Gefahren frühzeitig erkennen. In so einem Fall würden sie anstelle des sonst üblichen Meckerns einen richtigen Pfiff ausstoßen, um die anderen Herdenmitglieder zu warnen.

Barfuß über weiche Almwiesen zum »Gletscherblick«.

Die anderen schwenken gleich nach links, wandern unterhalb des Gasthofes vorbei, unter dem Sessellift hindurch und marschieren auf der kleinen Teerstraße Richtung Mittelstation. Kurz bevor man diese erreicht, kann man rechts noch einen Abstecher zu dem von Freitag bis Sonntag bewirtschafteten **Wenger Stadl**, 620 m, machen. Auch hier gibt es einen kleinen Spielplatz. Neben frischer Milch und Milchmixgetränken werden auch Brotzeiten mit Bio-Bergkäse, Kuchen und Steckerleis angeboten.

Wieder auf der Teerstraße biegen wir unmittelbar vor der Unterführung nach links in den kleinen Schotterweg Richtung **»Sommerrodelbahn/Mittelstation«** ein und erreichen bald die begehrten Einer- und Doppelschlitten. In rasantem Tempo sausen wir mit den begeisterten Kindern durch den schwindelerregenden 360°-Kreisel und düsen über zahlreiche Steilkurven die Gebirgs-Achterbahn hinunter zur **Talstation**, an der noch ein großes Kletternetz und eine Bungee-Trampolin-Anlage auf die Kinder warten.

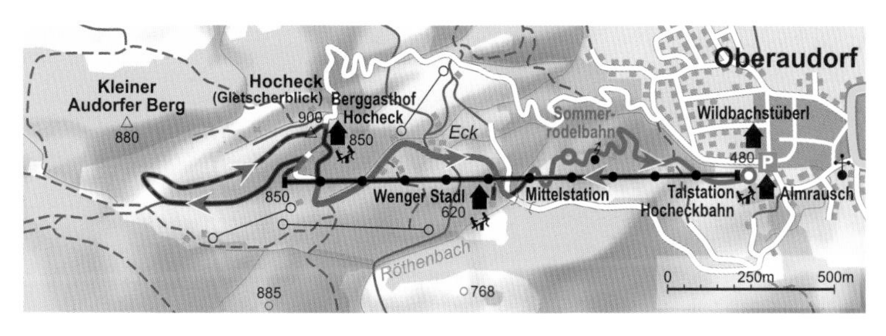

29 Feldkreuz über der Schopperalm, 660 m

Durch die Gießenbachklamm ab 4 J.

Wasserspaß im Gießenbachtal
Die Vordere Gießenbachklamm, in der Nähe von Kiefersfelden und dem Hechtsee gelegen, hat sich auf einer Länge von 600 Metern rund 60 Meter tief in den Felsen eingeschnitten. Der in den letzten Jahren komplett sanierte Klammweg wurde bereits 1910 im Zuge der Nutzung der Wasserkraft des Gießenbachs zur Stromerzeugung für Kiefersfelden angelegt. Dieses erste kommunale Wasserkraftwerk Bayerns läuft noch immer erfolgreich.
Zahlreiche Plätze, an denen die Kinder am und im Wasser spielen, plantschen, Dämme bauen oder Bäche umleiten können, lassen diese herrliche Wanderung zu einem unvergesslichen Ausflug werden. Das breite, von Kiesbänken durchzogene Bachbett des Gießenbachs oberhalb der Klamm lädt genauso zum Verweilen ein wie die kinderfreundliche Schopperalm mit ihren Tieren und den mannigfaltigen Spielmöglichkeiten. Die Tour ist bestens als leichte Einstiegswanderung geeignet.

KURZINFO

Talort: 83088 Kiefersfelden, 490 m.
Ausgangspunkt: Parkplätze an der Mündung des Gießenbachs, 500 m. Auf der A 93 bis Ausfahrt Kiefersfelden. Nach dem Ortsschild links Richtung Kufstein und nach 500 m rechts in die Thierseestraße Richtung Breitenau einbiegen. An den Hechtsee-Parkplätzen vorbeifahren, an der Museumsbahnlinie entlang (verkehrt nur alle zwei Wochen im Sommer, siehe www.kiefersfelden.de). Nicht die Abzweigung nach Breitenau hinauf, sondern geradeaus weiter, dem Klausenbach und den Schienen folgend. Nach insgesamt 3,5 km Parkplätze rechts und links der Thierseestraße an einem Natursteinwerk bzw. dem Sägewerk »Bleier Sag« (Navi: 83088 Kiefersfelden / Thierseestr. 194).
Gehzeit: 1.40 Std.
Höhenunterschied: 160 m.
Ausrüstung: Trekkingsandalen, Wechselkleidung und Badesachen.
Anforderungen: Alter: ab 4 Jahren. Leichte Wanderung auf meist breiten Wegen. Von der Gießenbachklamm zur Schopperalm geht es über viele steile Stufen hinauf, hier besteht insbesondere beim Abstieg Rutschgefahr. Kleinere Kinder müssen an dieser Stelle und in der Klamm an die Hand genommen werden.
Einkehr: Schopperalm, 600 m, geöffnet Mai bis Okt., kein Ruhetag, Tel. 08033/ 609116, www.schopperalm-inntal.de.
Variante: Wer einen Rundweg gehen möchte (zusätzlich 30 Min.), wandert von der Schopperalm wieder zur Teerstraße, diese rechts entlang, auf einer breiten Holzbrücke über den Gießenbach und weiter bergauf, bis rechts ein Fahrweg steil nach oben abzweigt (Beschilderung »Rundweg Troyer«). Immer geradeaus der Beschilderung folgend, erst bergauf (höchster Punkt 700 m), dann eben und mit schönen Ausblicken auf das Kaisergebirge durch ein Viehgatter hinunter zu dem alten Bauernhof Troyer, 660 m, dessen Gründung bereits 2500 Jahre zurückliegt. Dann links an diesem vorbei die Fahrstraße hinunter Richtung Kiefersfelden. Unten angekommen nach links zum Ausgangspunkt.

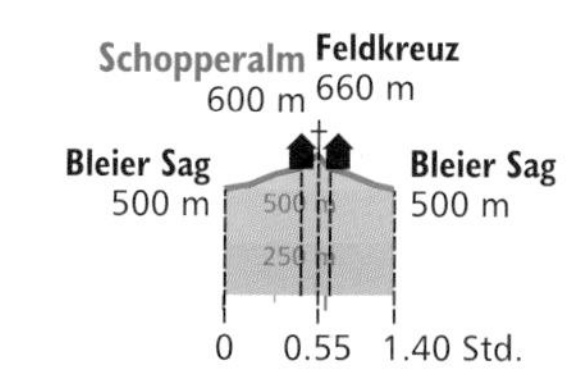

Ein großes Schild am Rand der kleinen Straße direkt am Sägewerk **»Bleier Sag«** weist uns darauf hin, dass hier der Rundwanderweg durch die Gießenbachklamm beginnt. Vorbei an dem großen Wasserrad »MISS SOFFI« führt uns der breite Kiesweg fast eben rechts des **Gießenbaches** entlang. An der Weggabelung halten wir uns links und wandern der Beschilderung »Gießenbachklamm, Schopperalm« folgend über eine Holzbrücke und setzen auf der linken Seite des Baches (in Gehrichtung) unseren Weg fort. Spätestens am Holztrog, links des Weges, müssen wir die erste kleine Pause einlegen. Gespeist von mehreren Bachläufen, die von einer Holzrinne aufgefangen werden, zieht er die Kinder magisch an. Nach einer ausgiebigen Kneippeinlage im seichten Gießenbach auf der anderen Wegseite setzen wir den Weg fort und gelangen zum **Kraftwerk Gießenbach**. Laufen wir den schmalen Pfad rechts hinter dem Häuschen entlang, können wir hier mit etwas Glück eine Canyoninggruppe bei ihren Übungssprüngen von einem Felsen in die darunterliegende Gumpe beobachten.

MISS SOFFI.

Zurück auf dem breiten Wanderweg geht es anschließend steil bergauf. 180 erklommene Stufen später stehen wir am **Klammeingang**: In schwindelerregender Tiefe plätschert unter uns der Gießenbach, bizarre Felsformationen bringen nicht nur die Kinder zum Staunen. Auf dem mit einem Geländer (nicht kindersicher!) versehenen, eben verlaufenden Weg müssen an den Felsüberhängen kurz vor

HALLO KINDER,

darf ich Euch die fleißige MISS SOFFI vorstellen? Sie wurde erst 1997 gebaut und ist mit ihren sieben Metern Durchmesser das größte Wasserrad Bayerns, manche behaupten sogar Europas. Das Wasser, das MISS SOFFI antreibt, wird nach dem Prinzip der kommunizierenden Röhren (siehe Tour 1) weiter oben aus dem Bach entnommen und kann so ohne den Einsatz einer Pumpe von oben auf das stattliche Mühlrad fallen. Bei nur vier Umdrehungen in der Minute werden 20 Kilowatt Strom in der Stunde erzeugt – das sind im Jahr 110.000 Kilowattstunden. Mit diesem Strom werden das Anwesen »Bleier Sag« und sogar noch 35 weitere Haushalte versorgt. Die Schleuse, an der das Wasser aus dem Gießenbach in die Röhre abgeleitet wird, können wir ein Stück bachaufwärts begutachten.

Canyoninggruppe am Beginn der Gießenbachklamm.

Ende der Gießenbachklamm alle, die größer als 1,50 m sind, stellenweise den Kopf einziehen. Eine schmale Brücke führt schließlich vor der Staumauer auf die andere Seite, dahinter geht es auf einem Schotterweg weiter in das nun viel breitere Tal des Gießenbaches.

200 m später zweigt links ein kleiner Weg vom Hauptweg ab, der uns durch ein Drehkreuz hinunter zum Bachbett bringt: Das flache Wasser, durchzogen von Kiesbänken, kühlt nicht nur die Füße, sondern lässt die Kinder beim Plantschen die Zeit vergessen. Im Staubecken kann sogar gebadet werden, anfangs ist das Wasser dort knietief.

Nur mühsam lassen sich die Kinder zum Weiterwandern zur nur 10 Min. entfernten Schopperalm überreden. Wir gehen wieder durch das Drehkreuz, dann entweder zurück auf den breiten Hauptweg und weiter aufwärts, bis wir auf eine Teerstraße stoßen, oder aber wir halten uns unmittelbar nach dem Drehkreuz links und wandern auf einem kleinen Erdweg wesentlich schöner in dieselbe Richtung. Auch hier plätschert wieder ein Bächlein, speist so das Bachbett und bietet lauschige Picknickplätze.

An der Teerstraße halten wir uns links, hier sehen

wir bereits die Sonnenschirme der **Schopperalm**, 600 m, und biegen kurz danach wieder rechts ab. Auf der kinderfreundlichen Alm wird es den Eltern mit dem Wunsch weiterzuwandern nicht anders ergehen: Ein Pony, Ziegen, Kühe (wer möchte, kann in den an die Wirtschaft angrenzenden Kuhstall schauen), ein großes Trampolin, ein alter Traktor sowie mehrere Bobby-Cars, mit denen man den Hang hinuntersausen kann, lassen auch hier die Kinderherzen höher schlagen.

Vor oder nach der Einkehr in der Schopperalm sollten wir aber auf jeden Fall noch in wenigen Minuten über einen Wiesenweg zu dem etwa 60 m höher gelegenen, bereits sichtbaren **Feldkreuz**, 660 m, mit Blick auf das Kaisergebirge hinaufwandern. Auch hier oben lässt es sich gemütlich rasten.

Bis zur Schopperalm war unsere Tour eher ein abwechslungsreicher Spaziergang, wer einen Rundweg gehen möchte, der allerdings erst noch einmal stark ansteigt und auf Asphalt- und Schotterstraßen verläuft, setzt seine Wanderung auf dem als Variante beschriebenen Weg fort. Die anderen wandern auf dem Hinweg durch die Klamm (Vorsicht beim Abstieg über die steilen Treppen) zum **Parkplatz** zurück.

HIGHLIGHTS

★ beeindruckende Tiefblicke in die Gießenbachklamm

★ Badespaß im Stausee oberhalb der Gießenbachklamm

★ auf der Schopperalm lauschige Wasser-Oase mit Liegestühlen und ein rasantes »Bobby-Car-Down-Hill«, außerdem ein großes Trampolin, ein Sandkasten und ein echter Traktor, bei dem sogar das Licht eingeschaltet und auch mal die sehr laute Hupe betätigt werden kann

★ Ziegen und ein Pony in einem Gehege an der Schopperalm, in das man hineinsteigen darf – besonders die Zicklein freuen sich über die Streicheleinheiten der Kinder

Wasserspaß im Gießenbachtal oberhalb der Klamm.

30 Kranzhorn, 1366 m

Über Bubenaualm und Kranzhornalm ab 6 J.

Kinderstammtisch unter freiem Himmel

Im Morgenkreis in der Schule oder dem Kindergarten etwas Außergewöhnliches zu erzählen, macht fast allen Kindern Spaß. Vielleicht von einem Berg mit zwei Gipfelkreuzen, einem Fußballfeld mitten auf der Alm oder von einem Kinderstammtisch in der Bergwirtschaft mit direktem Blick auf den Zwergkaninchenstall und das Ziegengehege. Das gibt es nicht? Wer sich mit seiner Familie selbst einmal davon überzeugen möchte, dass Kinderträume wahr werden können, dem sei diese wunderschöne Tour auf das Kranzhorn wärmstens empfohlen. Zumal hier nicht nur die Kinder auf ihre Kosten kommen: Von dem exponierten Gipfel hat man einen herrlichen Blick hinunter ins Inntal und schaut auf das Kaisergebirge bis hin zu den Loferer- und Leoganger Steinbergen.

KURZINFO

Talort: A-6343 Erl, 475 m.
Ausgangspunkt: Wanderparkplatz Kranzhornalm (gebührenpflichtig, 2 €) 900 m, im Trockenbachtal in der Nähe von Erl. Auf der A 93 bis zur Ausfahrt Nussdorf. In Nussdorf der Beschilderung nach Erl folgen. In Erl (Dorf) direkt nach der Kirche nach links Richtung Bücherei (Achtung: Die Beschilderung »Erlerberg/Spitzstein/Kranzhorn« ist schlecht zu sehen) fahren und der asphaltierten Bergstraße etwa 6 km bis zu einem Hinweisschild (Kranzhornhütte) folgen. Hier die Straße nach links in eine kleinere Straße verlassen und auf dieser ca. 2,5 km bis zum ausgeschilderten Parkplatz (Navi: N47.69548 / E12.204866).
Gehzeit: 3.15 Std. (beim Abstieg über die Schindlaualm 3.45 Std.).
Höhenunterschied: 470 m.
Ausrüstung: Bergschuhe.
Anforderungen: Alter: ab 6 Jahren. Bis kurz unter der Bubenaualm auf breiten Schotterwegen, danach auf abwechslungsreichen, gut begehbaren Berg-, Wald- und Wiesenpfaden. Auf den letzten Metern zum Gipfel über Felsen. Hier müssen kleinere Kinder an die Hand genommen werden. Zur Sicherheit ist hier, wie auch am Gipfel, eine Drahtseilbegrenzung an den steil abfallenden Felsen angebracht.
Einkehr: Kranzhornalm, 1222 m, bewirtschaftet von Anfang Mai bis Anfang Nov., kein Ruhetag, Schlaflager zur Übernachtung für 15 Personen (Schlafsack wird empfohlen), Tel. 0043/5373/8137, www.kranzhorn.at.
Variante: Wer mit größeren Kindern eine Runde machen möchte, wandert beim Abstieg von der Kranzhornalm nach dem originellen Mountainbike-Parkplatz der Alm (Baumstamm mit Einkerbungen für die Räder) auf der Forststraße oder, diese abkürzend, unbeschildert links des Ziegengeheges über den Wiesenweg hinunter. Dieser geht gleich darauf in einen steinigen Bergpfad über. Nach 10 Min. treffen wir wieder auf den breiten geschotterten Fahrweg, den wir uns allerdings mit den Mountainbikern teilen müssen, und wandern auf diesem (oder über die Weide abkürzend) über die Schindlaualm, 1065 m, in langen Schleifen wieder zum Parkplatz zurück.

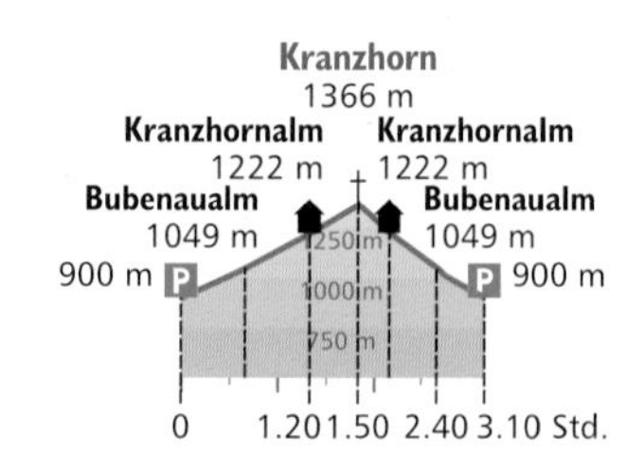

Kinderstammtisch vor den Kaninchenställen.

Vom gebührenpflichtigen **Parkplatz** gehen wir zu dessen unterem Ende und biegen, der Beschilderung »Kranzhorn, Fußweg über Bubenau« folgend, nach rechts in die Forststraße ein. Auf gut ausgeschildertem, breitem Weg wandern wir nun eine halbe Stunde leicht ansteigend bergan. Unterhalb der **Bubenaualm**, 1049 m, wird man für seine Ausdauer auf dem Schotterweg belohnt: Ein herrlicher Wiesenweg führt nun geradewegs zu der schön gelegenen Alm hinauf. Von hier kann man schon ins Kaisergebirge sehen, während die Kinder die Schafe auf der Alm bewundern.

Wir gehen rechts am Haus vorbei und wandern auf dem abwechslungsreichen, blau markierten und stellenweise steinigen Pfad durch lichten Wald. Nach einer Weile wird der Wald dichter, nun geht es über weichen Waldboden weiter. Bald kommen wir auf eine schöne Bergweide, durch die sich der teilweise mit Steinen versehene Weg steil bergauf schlängelt. In einer Ebene entdecken wir nach gut eineinviertel Stunden Gesamtgehzeit die Spitze einer großen Fahne, die wohl angebracht wurde, damit man die in

HIGHLIGHTS

- ★ Schafe an der Bubenaualm
- ★ an der Kranzhornalm schöner Spielplatz mit diversen Spielgeräten und einem kleinen Fußballfeld mit einem Holztor in Kindergröße
- ★ »Kinderstammtisch« mit Blick auf die Kaninchenställe und das Ziegengehege an der Kranzhornalm
- ★ barfußtaugliche Wiesen rund um die Alm und den kleinen Almsee und viel Platz zum Toben
- ★ nach der Tour: Besuch der Trockenbachwasserfälle bei Erl (in der Nähe des Passionsspielhauses)

Von der Kranzhornalm erreicht man in 20 Min. den Gipfel; im Hintergrund grüßt der Spitzstein.

einer Senke etwas tiefer liegende **Kranzhornalm**, 1222 m, auch gleich sieht. Unseren Durst heben wir uns aber noch auf, bis wir beim Abstieg wieder hier vorbeikommen. Der Bergpfad führt links an der Alm vorbei Richtung Gipfel. Viel schöner ist es aber, sich schon in der Senke nach links einen Weg auf den mit einem Kreuz versehenen namenlosen Grasgipfel zu suchen. Von hier wandern wir nach links auf dem Bergkamm – ein paar Meter oberhalb des von der Kranzhornalm zum Gipfel führenden Weges – bis zu einer Bank mit herrlicher Aussicht auf das Inntal.

Nun geht es auf dem steinigen Normalweg oder 5 m über diesem auf einem alten Wiesenweg weiter. Nach einigen Minuten laufen die Wege wieder zusammen und man erreicht nach weiteren 10 Min. den Abzweig zu der kleinen **Kapelle** kurz unterhalb des Kranzhorns, der man einen kurzen Besuch abstatten kann. Geht man nach der Kapelle noch etwa 50 m weiter über die Wiese, gelangt man an die (ungesicherte) Felskante, von der man einen tollen Blick auf das steil abfallende Kranzhorn hat. Auf der Wiese kann man gemütlich und meist ungestört Brotzeit machen.

Zurück an der Abzweigung, wenden wir uns nach links zum **Kranzhorn**, 1366 m. Kurz unterhalb des Gipfels steigt man 2 m über den hier gestuften Felsen (Drahtseil vorhanden, dient aber eher nur als Hinweis, dass das Gelände dahinter steil abfällt), kleinere Kinder sollte man zur Sicherheit an die Hand nehmen. Von den beiden nebeneinanderstehenden Gipfelkreuzen hat man einen herrlichen Panoramablick ins Inntal und auf das Kaisergebirge. An klaren Tagen reicht die Fernsicht sogar bis zum Großvenediger und zum Watzmann, und wer genau hinschaut, kann auch die Silhouette von München erkennen.

Auf dem Hinweg wandern wir, diesmal den Grasgipfel rechts liegen lassend, zur traumhaft gelegenen **Kranzhornalm** mit ihrem schönen Kinderspielplatz zurück. Natürlich

Das steil abfallende Kranzhorn mit seinen zwei Gipfelkreuzen.

ist auch für das leibliche Wohl bestens gesorgt. Auf der originellen Tiroler Alm, die auch als »Schutzhütte Kranzhorn« bezeichnet wird, gibt's zur Stärkung hausgemachten Kuchen, zünftige Brotzeiten und Tiroler Hausmannskost wie Kasspatzn, Kaiserschmarrn und Pressknödel. Jeden 1. Freitag im Monat ist Knödeltag, hier serviert die Hüttenwirtin den hungrigen Wanderern verschiedene Knödelspezialitäten.
Wer will, kann nach der Einkehr noch ein Kuh-T-Shirt oder den Original-Kranzhorn-Melkerhuat erstehen, bevor wir auf dem Anstiegsweg über die Bubenaualm wieder zum **Parkplatz** zurückkehren.

HALLO KINDER,

das Kranzhorn ist mit seinen 1366 m zwar nicht gerade einer der höchsten Berge, dafür hat es aber eine echte Besonderheit zu bieten: Auf dem Gipfel stehen tatsächlich zwei Gipfelkreuze direkt nebeneinander. Ist das etwa ein Schildbürgerstreich? Nun, direkt über das Gipfelplateau des Kranzhorns verläuft die Grenze zwischen Bayern und Tirol. Diese zwei Länder konnten sich wohl nicht so recht einigen, welches Kreuz aufgestellt werden soll und vor allem wo – sodass letztendlich zwei Kreuze den Gipfel zieren: ein Metallkreuz auf der bayerischen Seite und ein Holzkreuz auf der österreichischen. So kommt es, dass man mit einem Aufstieg gleich zwei Gipfelkreuze erklommen hat. Übrigens dürfte dieser Grenzverlauf auch ausschlaggebend sein für den Namen Kranzhorn, denn wahrscheinlich wurde er von Grenzhorn abgeleitet.

Stichwortverzeichnis

Weitere Rother Wanderbücher

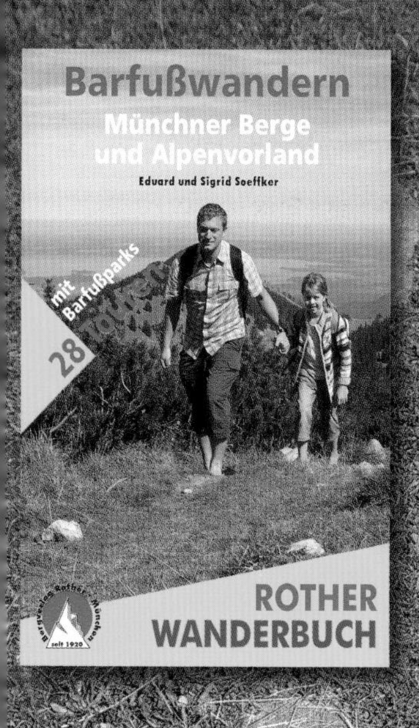